Le renversement des pôles

Nathalie Côte

Le renversement des pôles

Roman

ÉDITIONS FRANCE LOISIRS

Édition du Club France Loisirs,
avec l'autorisation des Éditions Flammarion

Éditions France Loisirs,
123, boulevard de Grenelle, Paris.
www.franceloisirs.com

ISBN : 978-2-298-11390-7

« Nous assistons présentement à l'effondrement d'une civilisation [...]. Depuis de nombreuses années, les lois, les mœurs, la littérature ont concouru à favoriser le développement de l'individualisme. Jamais on n'a autant parlé des droits de l'Homme, mais jamais on ne s'est aussi peu soucié des devoirs qui en sont le corollaire. Cette idolâtrie de l'individu a porté ses fruits inévitables, et on a vu s'épanouir l'égoïsme féroce, l'hypertrophie du moi, le matérialisme obtus. »

Eugène MATHON,
extrait du discours prononcé
au déjeuner ayant suivi
la XIIe assemblée générale annuelle
du Comité central de la laine,
le 19 avril 1934.

L'amour a ceci de commun avec les chambres à air qu'il éclate sans prévenir quand il ne fuit pas sournoisement. Quelle que soit l'option retenue par le destin, la course prend fin dans le talus sous l'œil perplexe des vaches campées derrière leur clôture tordue. Débarrassé de ce présupposé romanesque, l'infortuné trouvera dans la télévision, le bricolage ou le single malt des compensations très valables. Il peut aussi préférer la culture des orchidées ou l'observation des libellules demoiselles au 105 mm. Tout le monde vous le dira, la macrophotographie est une source d'émerveillement sans douleur, du moins en apparence, car une fois le matériel replié, la contemplation laisse place au combat entre partisans et adversaires de la révolution numérique. Semant la discorde partout où elle passe, elle signe le règne d'un monde nouveau où les commandes « delete » et « undo » effacent la distinction entre le geste du maître et la gaucherie du débutant. Il suffit d'appuyer sur une touche et de retenter sa chance, comme à la loterie.

L'homme qui retient notre attention et que nous allons observer de plus près s'est rangé dans le camp des modernes. Ses parents ont choisi de l'appeler Arnaud, une décision irrévocable prise il y a trente-huit ans.

Du lundi au vendredi, sauf jours de réduction du temps de travail, Arnaud Laforêt quitte son pavillon de la banlieue lyonnaise à sept heures cinquante pour rejoindre la métropole où il exerce la profession de statisticien. Pour remplir au mieux sa mission, l'Administration a mis à sa disposition un bureau de neuf mètres carrés éclairé d'un plafonnier basse consommation, meublé d'une table en stratifié blanc, d'une armoire métallique à rideaux monobloc et d'une chaise en polyoéfine avec soutien lombaire. Sur la moquette bleu roi, deux taches de café sont habilement cachées sous une tour informatique dont la puissance de calcul décourage toute tentative critique. C'est dans ce cadre, où une guirlande de Post-it scotchés autour d'un écran coréen tient lieu de fantaisie, qu'Arnaud Laforêt découpe la société française en tranches, comme les charcutiers leur jambon.

Ce n'est pas le trahir que de révéler son peu d'appétit pour les synthèses sur la production des vins, jus et moûts et autres « chiffres clés ». À l'heure du déjeuner, il s'évade en mettant à jour un blog dans lequel il partage ses coups de gueule, ses trucs de cuisine, ses chansons préférées. Une fois rassemblées les miettes de son sandwich, il traverse le couloir et revient avec un gobelet de café court extra sucre qui lui brûle les doigts. Il lui reste alors une vingtaine de minutes pour répondre aux suggestions de la « Photo mystère », la rubrique la plus populaire du site. Sous forme de concours, il invite les amateurs et les professionnels à reconnaître une fleur ou un insecte photographiés sous un angle déconcertant.

La modération du forum est une occupation à plein temps, il faut encourager les nouveaux inscrits, filtrer les commentaires et désamorcer les éternels conflits entre NoLife63 et PixL.

Cette passion dévorante pour la macrophotographie ne fait pas l'unanimité dans le service, certains ne se gênent pas pour railler « Laforêt, le photographe au ras des pâquerettes », mais ils ne font pas le poids devant ses fans, Christine Gontran en tête. Heureuse gagnante, elle promène aujourd'hui sa photo à travers la petite fête donnée pour le départ de Pierre Lacaze et ne lâche pas Arnaud d'une semelle. « Ah, c'est vraiment magnifique, vous êtes trop gentil. » Lui : « Encore bravo, c'était rudement épineux » (allusion à la rose Souvenir de sainte Anne qu'il fallait découvrir). Se privant de petits- fours pour ne pas graisser le papier, elle se demande où l'accrocher pendant que Pierre Lacaze, mémoire informatique de l'étage, évoque les Apple II avec des trémolos dans la voix. Sous des applaudissements hésitants, le jeune retraité enfourche le vélo cadre en alliage Nuts 5 offert par ses collègues et donne trois coups de pédale jusqu'à l'issue de secours. On fait une photo souvenir sous le panneau des réglementations pondues chaque jour comme un œuf par la direction. C'est promis, il reviendra dire bonjour. On se sépare. Émus.

Sur le chemin du retour, pris dans les embouteillages habituels, Arnaud écoute les informations en continu et fait un détour pour récupérer Erwan, son fils, gardé par une nourrice. Arrivé à la maison, il remplit pour eux deux bols de céréales et l'envoie faire ses devoirs pendant qu'il met en ligne la nouvelle « Photo mystère », sorte de crin blanchi et emmêlé qui donnera du fil à retordre jusqu'à son retour de vacances.

Il ouvre un moment la fenêtre du bureau pour faire sortir la chaleur accumulée durant la journée et regarde sa montre. Selon toute probabilité, Claire, sa femme, ne rentrera pas avant une heure, fatiguée, elle dit aussi « rincée ». Elle avalera quelque chose de léger avant de finir la soirée devant un bon film, c'est-à-dire un film dont elle connaît la fin, la déception est un luxe qu'on ne peut se permettre après une journée de travail et quarante-cinq minutes d'Aquabike.

Pour conjurer les effets délétères du temps, trois fois par semaine elle pédale dans une eau froide sous l'œil faussement inquisiteur d'un coach au crâne rasé. Ni le vent qui balaie le parking l'hiver ni l'odeur suffocante du chlore ne la détournent de ce chemin de Damas tracé par un prophète en slip de bain. Le contrôle exercé sur son corps n'est qu'une des facettes de son activisme sur le front du « développement personnel ». À la Bourse de l'épanouissement, Claire maintient ses actifs au plus haut, parfois au prix de quelques mensonges. Sur ce marché comme sur les autres, une valeur à la hausse est une valeur qui se porte bien, à qui tout sourit. Élodie, sa jeune collègue fraîchement arrivée à l'agence, est un exemple de ce triomphalisme permanent : « Les vacances ? Formidables », « Noël ? Génial », « Le petit dernier ? On se demande s'il n'est pas surdoué, on va peut-être le faire tester. » Dans un monde d'incertitudes, Élodie rassure, elle est comme ce vieux gilet qu'on porte le dimanche à la campagne.

Second violon de l'orchestre des employées radieuses, Claire suit le mouvement, se tient informée des modes, des tendances, fuyant cependant tout ce qui se rapporte à la sexualité. Le sexe avec son mari est un bricolage hasardeux, deux prises emboîtées l'une dans l'autre dans l'attente d'une étincelle qui ne vient pas. L'occasion de penser à la liste des courses ou d'envisager une nouvelle couleur pour les rideaux du salon. Conscient de son impuissance, Arnaud cherche d'autres voies, minimise les risques.

Depuis deux ans environ, il fréquente assidûment le site Pornhub.com. Quelques clics et il est chez lui, on le reconnaît, on lui propose des extraits de vidéos amateur, ses favorites. Après avoir jeté un œil aux cahiers de son fils, il revient dans le bureau et se presse de faire son choix. La lecture démarre et la caméra plonge sur le regard hésitant d'une jeune blonde aux paupières pailletées. Le style vestimentaire, la balance des blancs capricieuse, tout concourt à renforcer le caractère d'amateurisme. L'actrice fait de son mieux pour teinter son jeu d'une douce inquiétude et d'une totale soumission. Quelques indications de mise en scène sont données dans une langue étrangère, l'intonation rappelle la délégation polonaise reçue l'hiver dernier dans le cadre d'un échange européen sur la statistique. On dira que c'est du polonais, il faut avancer. Arnaud ne tient pas à revivre ce jour où Erwan est entré sans prévenir pour lui demander des piles. Depuis, il a programmé une touche qui remplace le navigateur Internet par une splendide *Orchis Laxiflora*.

Le sexe dans la main gauche, il murmure des insultes

à l'oreille de la jeune femme en caressant l'écran. Quelques minutes plus tard, il réprime un son rauque et s'écroule sur sa chaise. Ses jambes ramollies sont étendues sous le bureau, il se penche pour atteindre le rouleau de papier absorbant caché au fond du tiroir.

Ruisselante, sa serviette en travers des épaules, Claire reprend son souffle et jette un regard fuyant en direction du miroir accroché dans le vestiaire. Elle mesure son tour de cuisse d'un œil impitoyable et se tourne pour se changer. Agrafant le soutien-gorge offert par son mari « comme ça, pour le plaisir », elle échange quelques mots avec ses voisines au sujet de la séance d'Aquabike. L'air alourdi par le mélange des parfums lui fait penser aux mains d'Arnaud, à leur odeur de savonnette, elle pense aussi au petit plat qu'il aura mijoté pour le dîner, au compliment qu'il attendra comme un chien attend son sucre.

Épuisée, elle retombe sur le banc parmi les vêtements éparpillés et s'adosse au mur glacé. Dans quarante-huit heures, elle partira en vacances avec un mari qu'elle n'aime pas et que tout le monde lui envie.

Vincent Bourdon entame sa deuxième rangée de Pepito quand les portes de l'ascenseur se referment devant lui. Pendant la descente, il se remémore l'état de son stock de biscuits caché dans le flanc des pneus hiver empilés dans le garage. Virginie, sa femme, est intraitable sur le sujet. Pas question de manger ces « cochonneries » devant leurs filles, les problèmes alimentaires, ça commence tôt. Oui, il sait, il est au courant, mais c'est ça ou la cigarette. Alors ? Elle préfère quoi ?

Le groupe NéoVision qui l'emploie depuis huit ans comme technicien informatique de réseau n'est guère plus indulgent avec ses petites manies. Impossible d'échapper à l'œil qui capte les faits et gestes du personnel. Même la voiture de service est surveillée. Qu'il laisse derrière lui une miette ou un relent de tabac et Claude, son binôme, s'empressera de le dénoncer au N+1.

Il trouve heureusement quelques satisfactions lors des interventions clients. Un réseau bloqué et c'est toute l'entreprise qui est au bord de l'infarctus, la privation d'accès à une base de données est vécue comme une petite mort.

Attendu comme le Messie, il ouvre et referme les

corps métalliques sous l'œil admiratif du personnel féminin rassemblé par grappes autour de lui. Quelquefois, un chef débarque entre deux réunions pour dire tout le bien qu'il pense de ce « merdier informatique ». Vincent écoute d'une oreille distraite, il y a longtemps qu'il a renoncé à tout expliquer, huit ans de métier et on devient fataliste. Les seuls qui l'étonnent encore sont ceux qui entretiennent un rapport magique à l'ordinateur. Dotés sur le papier d'une belle intelligence, une simple défaillance de la machine les fait dérailler et régresser à l'état de Néandertal. Ils secouent le clavier, la souris, répètent comme une incantation la commande « CTRL+ALT+SUPR » et frappent l'écran à coups de poing avant de s'en détourner avec une moue dégoûtée.

Une fois le réseau remis sur pied, Vincent peut se laisser aller aux bons soins des employées reconnaissantes : « Et que veut-il boire ? Un café allongé comme la dernière fois ? » (Les aléas de l'informatique scellent des amitiés durables.) Frétillant au milieu des jupes courtes et des chemisiers échancrés, il offre ses Pepito en rappelant la consigne : ne jamais mentionner ces pauses à qui que ce soit. Il n'est pas près d'oublier la convocation de son supérieur après qu'une femme l'a décrit au téléphone comme « Le monsieur qui mange des Pepito ». Primo, il n'était pas payé pour se régaler chez les clients, secundo, un collègue qui préférait garder l'anonymat s'était plaint de saletés trouvées sous le siège de la voiture. Conclusion : un avertissement.

Bouclant sa ceinture, Vincent jette l'emballage vide

au pied du siège passager. La montre du tableau de bord affiche vingt heures trente-deux. Sa voiture est la dernière sur le parking de NéoVision, la faute aux heures supplémentaires. Au début, il les a acceptées pour dépanner et, avec le temps, c'est devenu l'habitude. L'entreprise ne manque pas d'arguments pour différer l'embauche du technicien qui soulagerait l'équipe. Une fois, c'est la conjoncture qui est mauvaise, une autre, ce sont les clients qui sont trop volatils, et puis, « de toute manière, si vous n'êtes pas contents, il y en a dix qui attendent dehors, dix qui seraient bien contents de les faire, ces heures supplémentaires ».

Vincent le connaît par cœur, le credo des fondateurs de NéoVision. Il sait tout de leur vie, de leur jeunesse. À vingt ans, ils défiaient la police en grimpant sur des barricades, ils étaient célébrés, conspués. Sur les clichés des magazines, on les voit groupés derrière un opportuniste aux yeux écarquillés, agitant des pancartes « Ne travaillez jamais ! » Ils ont fière allure, ces révolutionnaires, avec leur rébellion pour plan de carrière. Les mêmes qui, parvenus au sommet en semant les graines de la terreur, sirotent aujourd'hui leur retraite dans des « Clubs Olé », laissant l'addition à une jeunesse enterrée vivante qui saute dans le trou sans protester. Seuls les aventuriers échappent au destin tracé par ces Robespierre au petit pied et quittent le pays dans l'indifférence générale. Vincent n'est pas de ceux-là, il broute paisiblement, au milieu du troupeau emmené par des seniors managers adeptes de la pédagogie infantilisante et des stages sportifs obligatoires.

Tiré de sa léthargie par le tourbillon des événements footballistiques du jour, il se gare devant le 15, lotissement Les Lucioles, et laisse l'autoradio en marche le temps d'ouvrir la porte du garage. Il avance jusqu'au repère indiqué sur le mur pour ne pas rayer le pare-chocs et enfouit l'emballage de Pepito au fond de la poubelle. Se déchaussant dans le couloir, il reconnaît un bruit qu'il croyait ne plus jamais entendre après l'intervention du plombier, un coup de bélier pareil à celui qui avait déclenché la rénovation de la cuisine. Ce soir-là, Virginie avait lancé un ultimatum. Le doigt tendu vers le mitigeur de l'évier, elle avait crié : « C'est lui ou moi. » Plus de repas, plus de vaisselle, plus de lessive, en un mot : la grève.

Ça devait finir comme ça, ce n'était qu'une question de jours. Le frère de Virginie était venu un dimanche midi avec les plans de sa future maison truffée de technologies dernier cri et avait allumé le feu sous la chaudière. De nouvelles envies s'étaient mises à bouillir dans le cerveau de sa sœur, bientôt distillées en obsession pour le frigo américain, l'îlot central et l'aspirateur centralisé.

Le concept d'îlot central, car les cuisinistes sont aussi des amis du concept, est un cas d'école. Faut-il y intégrer l'évier ? La table de cuisson ? Les deux ? Ne rien mettre ? Et les projections de graisse ? Et la vaisselle de la veille ? Les visiteurs impromptus la verront. Une collègue de Virginie à la préfecture a tranché en expliquant qu'avec l'îlot tout équipé on pouvait préparer le dîner face à la télévision et ainsi ne plus tourner le dos à la vie familiale.

Usé comme un torchon de fin de banquet, Vincent a cédé, il a téléchargé le logiciel de conception en ligne et Virginie a modélisé cinq agencements avec trois couleurs de façades et autant de combinaisons possibles avant de se décider.

Fronçant les sourcils, il trempe un morceau de pain dans son bœuf bourguignon. Sa femme picore les miettes tombées autour de son assiette en disant :

— Ce n'est pas de ma faute si le Tiguan a un coffre plus grand que le X1.

Humectant l'index, elle ajoute :

— Il est plus haut, moi j'aime bien être surélevée.

Si vous l'ignorez, le Tiguan est une espèce à quatre roues motrices, issue de « Tiger » et « Leguan » (respectivement « tigre » et « iguane » en allemand). N'allez pas en conclure qu'il s'agit là du fidèle compagnon des amoureux de la chasse aux lions, non, le Tiguan a été conçu pour les « accros à la ville », une ville sortie tout droit de l'imagination des communicants à roulettes, un hybride de la jungle et de Marnes-la-Coquette.

Vincent glisse de son tabouret comme un reptile et attrape une bière dans le frigo. À la manière dont les yeux de sa femme brillent quand elle tourne les pages de la brochure du constructeur, il sait que ce n'est pas la peine d'insister.

— Tu m'entends ?

— Oui, je ne suis pas sourd. Tu préfères le Tiguan. Qu'est-ce que tu veux que je te dise ?

Tiguan ou X1, quoi qu'il en soit, il va falloir patienter. L'emprunt de la cuisine court jusqu'à l'automne prochain et condamne Virginie à regarder d'en bas ceux qui grimpent vers les cieux du pouvoir d'achat comme les anges sur l'échelle de Jacob.

Ah ! Si Vincent gagnait plus, les filles pourraient faire du cheval, ils partiraient une semaine au ski, ils seraient plus heureux. Huit ans chez NéoVision et toujours pas d'augmentation, ce n'est quand même pas compliqué de demander une augmentation ? Il ne faut pas se laisser marcher dessus, c'est tout. Il ne l'a toujours pas compris. À trente-six ans, il serait temps.

La télécommande en main, Vincent s'allonge sur le canapé en cuir vachette (dans le magasin, il préférait celui en alcantara) et avale sa dose quotidienne de sport télévisé. Virginie ferme les yeux. Les excès sont rares quoique mémorables. Elle se souvient de la bouteille de vodka pomme vidée en vingt minutes après une défaite, du soir où il a fendu le plateau de la table du salon à la suite d'un carton rouge litigieux et du grand chelem du XV de France qui l'a vu courir en caleçon dans la rue sous les yeux médusés des voisins.

Calé dans les coussins, il grogne :

— Hercule, arrête de ronfler.

Hercule est le bouledogue français des Bourdon. Affectueuse avec les enfants, cette race présente, entre autres avantages, un encombrement minimal. Plus inattendu, sa face écrasée posée sur un corps disgracieux attire bien souvent la sympathie des passants.

Virginie s'écrie depuis la cuisine :

— Fous-lui la paix, il ne le fait pas exprès.

— Et alors ? Ce n'est pas une raison ?

— On va l'abandonner, alors n'en rajoute pas.

Vincent répond sans quitter la télévision des yeux :

— On ne l'abandonne pas, il va chez tes parents.

— Peut-être, mais il aurait dû venir en vacances avec nous.

Virginie contourne le canapé. Vincent la regarde juste le temps qu'il faut pour deviner le tour que va prendre la conversation. Par principe, il ira jusqu'au bout.

— Qui a oublié de demander si les animaux étaient autorisés ?

— Je n'ai pas demandé parce que c'était écrit « autorisé » sur le site.

Virginie préférerait se couper un doigt plutôt que de reconnaître qu'elle n'a pas lu le contrat de A à Z. Il n'en démord pas :

— Tu as choisi un loueur particulier qui a décidé que, chez lui, ce n'était pas autorisé et pousse-toi, je ne vois pas le score.

— Ah oui ? Et pourquoi je suis passée par un particulier, à ton avis ? Parce qu'il louait moins cher que l'agence qui gère la résidence, voilà pourquoi. Si tu gagnais plus, ça ne serait pas arrivé.

— Et toi, si tu gagnais plus ?

Virginie jette le torchon par terre et tire sur le nœud de son tablier en s'écriant :

— Tu sais très bien que je ne peux pas, c'est injuste.

Virginie quitte la pièce et s'enferme dans sa chambre avec une tablette de chocolat noir intense en attendant son feuilleton du jeudi soir.

Vincent laisse passer un moment avant d'aller fumer une cigarette à la fenêtre. Un voisin perché sur le toit de son abri de jardin lui fait signe, le marteau à la main. Il répond distraitement et se rappelle la phrase du jour scotchée au-dessus des plannings des techniciens de NéoVision : « Les faibles ont des problèmes, les forts ont des solutions. » La solution, il l'a trouvée. Il sourit devant son reflet sur la vitre et bombe le torse. Bientôt, sa femme ne pourra plus rien lui reprocher, il sera riche et le X1 toutes options dormira dans le garage.

— Vous avez bien regardé partout ?

La réceptionniste de la résidence Riva Bella cale son téléphone entre le menton et l'épaule pour balayer sur sa manche une poussière invisible. Un badge épinglé au revers de son blazer mentionne son prénom, Katharina, et des petits drapeaux indiquent qu'elle parle anglais, espagnol et néerlandais.

Claire patiente dans le hall. Elle ouvre sans les lire les dépliants alignés sur un présentoir. Attirée par des cris, elle marche jusqu'à la baie vitrée et aperçoit la piscine en contrebas. Vus d'ici, les enfants nagent comme des têtards.

— C'est noté, je vous envoie quelqu'un pour les sacs de l'aspirateur.

Katharina raccroche avec le sourire, conformément aux prescriptions du directeur de Riva Bella, expert en synergologie. Elle est très à l'aise dans ce rôle qui exige autant de souplesse que de résistance. Régulièrement soumise à des injonctions contradictoires, elle ne perd jamais de vue son objectif premier, la satisfaction du client. Que le barman change en cours de semaine le rosé pour un meilleur cru et elle aura droit à un défilé de râleurs prêts à jurer la tête sur le billot que le nouveau est moins bon que l'ancien, c'est comme ça. Avec le temps, son directeur en est arrivé à la conclusion que des vacances réussies sont, pour beaucoup, des vacances où on peut passer ses nerfs sur quelqu'un sans risquer le coup de poing ou le licenciement. « Vous connaissez le sens du mot "fusible", Katharina ? Des fusibles, voilà ce que nous sommes, et encore, eux ont le droit de lâcher. »

— Désolée pour l'attente et bienvenue à Riva Bella. Vous êtes madame ?

— Laforêt.

Katharina balaie son listing avec l'index.

— Madame Laforêtte. Je vous ai. C'est l'appartement 243. Je vous montre sur le plan.

Alors qu'elle dessine une croix sur une mauvaise photocopie, le crissement d'un gravier coincé sous la porte d'entrée lui fait serrer les dents. Arnaud court vers le guichet avec un enthousiasme de labrador jaune.

— J'ai trouvé une place juste à côté.

Katharina le félicite :

— Vous avez eu une chance énorme. Se garer le vendredi soir, ce n'est pas du tout facile.

— Et Erwan ? s'inquiète Claire.

— Il finit sa partie dans la voiture.

Arnaud examine le badge de la jeune femme et lui demande :

— Vous êtes allemande ?

— Hollandaise.

— J'étais pas loin.

Sans perdre sa bonne humeur, Katharina agrafe le chèque de caution au dossier et dépose deux trousseaux de clés sur le comptoir avec les feuillets d'inventaire. Arnaud dit qu'un seul suffira. Claire attend qu'il s'éloigne pour glisser le deuxième jeu dans son sac.

Une partie du coffre déchargée, ils s'engagent tous les trois sur le sentier pentu qui serpente entre les bâtiments. Chaque appartement propose une terrasse ou un balcon séparés des voisins par un mur crépi. Deux garçons qui se disputent une part de tarte tropézienne sous l'œil indifférent de leur mère se donnent des coups de coude au passage d'Erwan.

Arnaud range le plan dans sa poche, c'est bien là, appartement 243. Quelques marches et ils abandonnent les bagages devant la porte. Depuis la terrasse, on distingue une flaque bleutée entre les arbres. Cette vue sur la Méditerranée, ils l'ont payée au prix fort et dans quelques jours ils l'oublieront, comme les riverains d'une voie ferrée oublient les trains.

Claire entre la première dans la « pièce de vie » avec lave-vaisselle neuf couverts, four mixte, bouilloire, cafetière à filtre, canapé convertible, écran de télévision 19 pouces et fleurs artificielles arrangées dans un vase motif « olive noire ».

Elle voyait ça plus grand et masque sa déception.

— Tu viens faire une photo ?

Erwan est debout sur le muret, son père le mitraille au milieu du paysage.

— Pas maintenant, je vais sortir les affaires. Allez à la piscine ! Je vous rejoindrai.

Le ton est plus proche de l'ordre que de l'invitation, mais Arnaud ne l'entend pas de cette oreille. Il veut l'aider, ensuite ils iront se baigner tous ensemble.

Erwan ne prend pas parti. Il n'aime ni l'eau ni les cours de natation du mercredi matin.

Claire insiste :

— Non, on va se marcher dessus ici. Allez-y.

Arnaud cède après avoir monté les valises à l'étage. Les brassards d'Erwan sont roulés dans sa serviette, de façon à ce que personne ne peut les voir. Il jette un dernier regard en direction de sa mère occupée à ranger les affaires de toilette sur l'étagère de la salle de bains. Son père referme la baie vitrée derrière eux.

Claire soupire et décide de commencer par l'inventaire. Elle compte six verres à pied, autant de tasses, de bols et signale le beurrier manquant. Sous le plan de travail, un faitout, deux poêles gondolées et des casseroles empilées comme des poupées russes. En les arrachant l'une à l'autre, elle se coupe et saigne immédiatement. Elle passe sa main sous l'eau froide. Son alliance brille au-dessus d'un filet de sang, l'entretien qu'elle a eu avec l'avocat lui revient en tête. Il a été très clair, le divorce, c'est un appauvrissement, il faudra vendre la maison, louer quelque chose de plus petit. « Si vous saviez le nombre de couples qui renoncent à cause de ça. Et quand l'un des deux n'est pas d'accord, ça peut durer longtemps. Très longtemps. » Parce que deux divorces personnels et vingt-cinq ans de barreau n'ont pas eu raison de son optimisme, il l'a raccompagnée au seuil de la porte en disant : « Ça peut s'arranger, vous savez. La vie est faite de cycles. Pourquoi ne pas attendre la rentrée ? Allez, on réfléchit et on se prend un rendez-vous après les vacances. »

Les doigts rougis au-dessus de l'évier, elle fixe les gouttelettes qui ricochent sur les parois. S'imaginer dans un appartement comme celui-là avec la télévision pour seule compagnie lui glace les os. Elle sent les larmes monter. Elle se revoit à huit ans sur une aire d'autoroute, cherchant sa mère qu'elle avait cru repartie sans elle. Elle ferme le robinet, elle ne saigne plus. L'inventaire attendra.

Dans la petite chambre orientée à l'est, elle déballe les paquets de linge fournis et tend les draps sur le matelas comme une seconde peau. Le miroir de l'armoire reflète ses vêtements froissés par le voyage. Elle choisit de s'envelopper dans un paréo bleu ciel pour aller signaler à Katharina les deux taies d'oreiller manquantes.

Après quelques retouches de maquillage, elle ouvre la porte, la différence de température entre l'intérieur et l'extérieur est saisissante. Sur le chemin, elle respire l'odeur des pins et joue avec son porte-clés. L'orage est passé.

Autour d'elle, les vacanciers dînent au grand air, deux joueurs disputent une partie de tennis, la balle rebondit mollement ou s'envole dans les airs, c'est selon. Plantée entre deux buissons de lavande, une pancarte indique la direction de la réception. Arrivée en haut d'un escalier, elle est aveuglée par les derniers rayons de soleil qui percent entre les toits. La piscine est là. Arnaud l'a repérée et fait de grands gestes depuis son transat. Erwan est assis à côté de lui, bras croisés.

Claire bataille un moment avec le portillon de

sécurité et contourne le pédiluve en tenant ses ballerines à la main. Son fils court vers elle et désigne trois garçons qui se jettent à l'eau.

— Erwan, combien de fois je t'ai dit qu'on ne montre pas du doigt ?

De l'autre côté de la barrière, un homme torse nu marche en tranchant l'air avec sa raquette de ping-pong. Il se retourne et crie :

— Alors ? Il arrive l'autre tarlouze de Catalan ?

L'ordinateur portable dans une main, la cigarette dans l'autre, Vincent fait le tour de la terrasse comme un sourcier. Le gestionnaire de réseau bégaie son message d'erreur, impossible d'accéder au wi-fi. Virginie s'inquiète et chasse le nuage qui passe sous son nez.

— Crache ta fumée sur le côté.

Pointant du doigt le paquet largement entamé, elle revient à la charge :

— Tu ne devais pas arrêter pendant les vacances ?

— C'est pas le moment de m'emmerder avec ça.

Elle ne relève pas. Si Vincent ne trouve pas la solution, c'est que c'est grave. Elle ose une suggestion.

— Peut-être qu'il faut modifier quelque chose dans l'ordinateur.

— Comment ça, « modifier » ?

— Je ne sais pas, moi, c'est toi le spécialiste. Sur le papier, ils disent qu'il y a le wi-fi, alors ça doit marcher.

— Si je te dis que ça marche pas, c'est que ça marche pas, putain !

Vincent plante son mégot dans le pot de capucines et tire une chaise en raclant le carrelage. Virginie se lève et claque la porte-fenêtre derrière elle.

Suivant les conseils d'un psychologue américain

qui promet à ses lecteurs d'en finir avec la colère en douze chapitres, elle revient avec le « cahier de colère » qu'elle pose devant son mari et retourne dans l'appartement sans un mot. C'est un cahier de brouillon 96 pages corné qu'elle transporte partout avec elle depuis deux ans. Sur trois colonnes, Vincent doit mentionner les causes, les circonstances et les conséquences de l'incident. Rechignant à la tâche, il bricole une explication en forme d'excuse, une histoire suffisamment crédible pour avoir la paix. Peu importe que ce soit vrai ou non, la vérité est rarement payante avec les femmes, au mieux, on obtient un : « Bravo pour l'honnêteté, mais tu ne t'en tireras pas comme ça. »

En panne d'inspiration, ce sont les aboiements d'un caniche qui le tirent d'affaire. Il écrit : Que va-t-il se passer si Internet ne marche pas ? Ils ne verront pas les photos d'Hercule envoyées par les parents de Virginie, ce sera à cause de lui et ça, il ne peut pas le supporter. Il regrette sa colère. Il promet. Ça n'arrivera plus.

Vincent referme le cahier et s'avachit sur sa chaise. Génial, il est tout simplement génial. La sensibilité, ça marche à tous les coups. Virginie veut un arbre solide, protecteur, avec des racines tendres, et tant pis pour le paradoxe.

La griserie dissipée, la vraie raison de son emportement revient le hanter : comment trader sans connexion ? Le trading en ligne, c'est sa nouvelle lubie, la recette qui va faire de lui un homme riche. Quand il garera son 4 x 4 au fond du parking pour éviter les coups de portière, il sera respecté, on connaîtra enfin sa vraie valeur.

Il y a deux semaines, au détour d'une publicité intempestive, il a découvert OptionBin.com, un broker spécialisé dans les opérations binaires. Un esprit rationnel aurait imaginé que les conséquences de la débâcle financière de 2008 l'auraient conduit, lui et les autres, à se révolter contre l'aléa moral dicté par les banquiers, mais il n'en a rien été. Subjugué par l'hybris et la beauté des chiffres, il s'est mis en tête de les imiter.

Pour satisfaire cette nouvelle demande, les sites calqués sur le modèle d'OptionBin se sont multipliés. Leur principe est simple : vous sélectionnez un type d'actif, vous cliquez sur un bouton « Hausse » ou « Baisse » pour une durée déterminée et, selon votre bonne fortune, vous gagnez ou perdez la somme engagée. Derrière l'apparente trivialité du système se cache une peinture du marché, avec à l'arrière-plan des faiseurs d'algorithmes engagés pour teinter l'affaire de sérieux et dans la lumière des charlatans qui vendent leurs prévisions à prix d'or après avoir fait la démonstration de leur incapacité à prévoir la moindre crise depuis trente ans.

« Pourquoi pas moi ? » se dit Vincent. Ce n'est pas Jeanne, formatrice certifiée chez OptionBin, qui dira le contraire. Elle l'a convaincu de placer trois mille euros sur un compte, arguant que seules les personnes capables de prendre des risques peuvent faire fortune. La promesse de gains rapides et exponentiels a balayé ses dernières hésitations. Il n'a pas jugé indispensable de mettre sa femme dans la confidence, après tout, l'argent engagé est le fruit de ses heures supplémentaires non déclarées, il en fait ce qu'il veut. Et tout va pour le mieux. Il a reçu un « bonus exceptionnel » pour récompenser son assiduité au cours de la formation et, à ce jour, il ne lui manque que le costume sur mesure pour vivre pleinement dans la peau d'un trader. Ça viendra.

Résistant à une envie de cigarette, il se distrait en pensant à l'avenir. Quand il sera riche, il allumera un barbecue avec tous les livres de développement personnel que sa femme promène dans son sac. Marchands du temple et autres détenteurs de la recette du bonheur « Parce que le bonheur, ça s'apprend », vous vivez vos dernières heures.

Un son familier le tire de sa rêverie, celui qui accompagne le démarrage d'un ordinateur. Il se lève et passe la tête de l'autre côté de la cloison. Son voisin est sur sa terrasse, un portable devant lui. Vincent l'interpelle :

— Dites, ça marche le wi-fi chez vous ?

— Non. Ça ne marche pas, on est trop loin, il faut aller vers la réception.

— La réception ? C'est pratique !

Il s'avance et tend la main :

— Moi, c'est Vincent. On vient d'arriver avec ma femme et mes filles.

— Arnaud. Arnaud Laforêt.

Vincent regarde la mallette anti-choc ouverte sur la table.

— Vous êtes photographe ?

— Amateur. Je fais de la macrophotographie.

Vincent ne connaît pas mais ne dit rien. Répondant à la question qui ne lui est pas posée, Arnaud se lance dans une description des objectifs rangés dans les compartiments, comme s'il voulait les lui vendre. Il est interrompu par Claire qui se glisse entre eux, un panier à la main. Elle est pressée, les magasins vont bientôt fermer, elle n'a pas le temps de discuter. Arnaud la suit du regard. Vincent aussi. Il demande :

— Vous venez d'où ?

— De Solaize, près de Lyon. Et vous ?

— Nancy. On a fait construire à côté, à Seichamps. En tout cas, merci pour l'info, je vais y aller.

Il est déjà loin quand Virginie trouve le cendrier plein et le cahier abandonnés sous le parasol. L'habitude veut qu'un coup de colère soit suivi d'une orgie de Pepito et Virginie n'aime pas qu'on change ses habitudes, ça la stresse et le stress, c'est mauvais pour son poids. Elle lit les quelques lignes écrites par son mari et redouble d'inquiétude. Hercule ? C'est vrai. Comment ça va se passer chez ses parents ? C'est la première fois qu'il n'est pas avec eux.

Regagnant le canapé où se chamaillent Chloé et Léa, elle pose une main sur son ventre et inspire profondément. Depuis qu'elle a découvert la respiration abdominale avec *J'arrête de stresser en 21 jours*, ça va mieux, mais ce n'est pas encore ça.

Devant la télévision, elle prend des nouvelles du monde, un monde passé au tamis, débarrassé de sa complexité originelle. Aux images d'affrontements violents dans un pays dont elle ignorait jusqu'à l'existence succède la leçon de mondialisation heureuse. Bras croisés, elle écoute l'expert avec la désagréable impression que la main invisible du marché lui fait les poches. Vient le tour du jeune correspondant envoyé dans une cité dont la rénovation est lancée en grande pompe. Il explique comment les millions engagés vont tout changer. C'en est trop, elle explose, les politiques publiques, elle en entend parler tous les jours à la préfecture. C'est simple, il n'y en a que pour les Zones urbaines sensibles, on ne sait plus quoi faire pour les guérir de leur sensibilité. Elles sont apathiques ? On les requalifie en Zone de redynamisation urbaine. Elles sont trop remuantes ? On les classe en Zone de sécurité prioritaire.

Elle n'en peut plus des pourfendeurs de l'inégalité incapables d'appeler les choses par leur nom. Dans leur bouche, le « sensible » le dispute à la « diversité », la « discrimination positive » au « métissage » et dans les grands jours, ils convoquent la fanfare du « vivre-ensemble » pour frapper les consciences à grands coups de cymbale. Pour elle, c'est de la langue de bois, rien d'autre.

Excédée, elle change de chaîne et tombe sur une usine en grève dont la façade grisâtre est filmée en plan large. À l'intérieur, des hommes empêchent les salariés non grévistes d'accéder à l'atelier. Le présentateur du journal tente de raisonner le représentant du syndicat majoritaire en expliquant que « faire grève ne résoudra pas le problème ». L'ouvrier, vêtu d'un gilet de sécurité, colle le micro tout près de sa moustache et un lapin surgit à l'écran.

— Chloé ! Donne-moi la télécommande.

La petite regarde sa mère avec un sourire provocateur. Elle se prépare à une montée en puissance des menaces sans perdre une miette du dessin animé où une jeune lapine s'évanouit de plaisir en découvrant un bouquet de carottes.

Virginie regarde sa montre, son ventre gargouille. Où est passé Vincent ? À la voiture ? Il serait déjà revenu. À la piscine ? Au milieu de jolies femmes en maillot de bain ?

Léa et Chloé se disputent la télécommande. L'aînée appuie sur tous les boutons et s'arrête, surprise :

— Y a la 2 qui marche pas.

Virginie n'entend pas. Elle est sur le point de se ruer sur une tablette de chocolat noir aux écorces d'orange quand la musique d'un spot publicitaire la retient sur le canapé. Un véhicule blanc est à l'arrêt dans un décor urbain en carton-pâte. Quatre personnes discutent dans l'habitacle. La voiture redémarre et disparaît derrière le slogan : « Nouveau Tiguan. Vous voulez. Vous pouvez. »

Le renversement des pôles est un phénomène récurrent au cours duquel le champ magnétique de la Terre s'inverse. Selon certains spécialistes, il faudrait des centaines, voire des milliers d'années pour que le Nord bascule vers le Sud. D'autres affirment que ce changement pourrait intervenir dans un temps très bref, le temps d'une vie humaine. Néanmoins, ils s'accordent sur les deux scénarios possibles à l'issue de la phase de déplacement, soit le pôle revient à sa configuration initiale et on parle d'« excursion », soit il se maintient dans sa nouvelle position, on parle alors d'« inversion ». La question qui préoccupe les scientifiques n'est pas de savoir si un prochain renversement aura lieu, mais quand il aura lieu.

Arnaud a lu ces dernières lignes à haute voix et il pose son magazine sur la table. Erwan ne quitte pas des yeux son jeu vidéo et Claire croise les bras entre deux gorgées de mojito. La science ne l'intéresse que très vaguement, elle préfère l'animation du port de Saint-Tropez avec ses yachts qui ronronnent comme des gros chats. Guettant la présence furtive des propriétaires, elle se désole de n'avoir jamais connu d'autres plaisirs que ceux réservés à sa classe. Elle sait qu'Arnaud ne partage pas ses regrets, pour lui « ce qui compte, ce n'est pas l'argent, c'est la famille, la santé, un travail stable », mais cette existence morne et routinière où l'extase consiste à boire un bol de chicorée dans un champ de maïs en attendant l'arrivée du facteur, elle en a soupé.

À quelques mètres de là, de riches inconnus poussent des cris d'audace festive sur le pont arrière d'un bateau. Foulant le quai à leurs pieds, les badauds s'extasient devant les bouchons de champagne qui sautent à un rythme effréné. Quelques-uns se verraient bien leur casser la bouteille sur la tête, histoire de leur rappeler que la-lutte-des-classes-c'est-pas-fait-pour-les-chiens, mais deux cerbères sont engagés pour les refouler. Sérieux comme des gardiens de musée, ils maintiennent la distance sacrée entre les promeneurs et la fête, éternel présent élevé au rang d'œuvre d'art.

Arnaud passe une main dans les cheveux de son fils et dit :

— On n'est pas bien, là, tous les trois ?

Erwan recommence une partie. Claire sourit. Elle a ce sourire triste qu'elle traîne de jour en jour, depuis le 12 avril, pour être exact. Ce matin-là, les primevères peignaient de larges touches de lumière dans le jardin, le soleil réchauffait la cuisine encore paresseuse et Arnaud a trempé une biscotte beurrée dans son café. Il l'a longuement mastiquée, Claire l'a regardé et elle a compris qu'elle ne l'aimait plus. C'est aussi simple que ça. Le tableau de la vie ordinaire d'une famille de la classe moyenne se déchirait sous ses yeux.

— Qu'est-ce qu'on prend ?

— Quoi ?

Sur la carte des desserts, Arnaud montre la coupe « Tête à Tête », assortiment de glaces avec bananes, poires, Chantilly et chocolat chaud, à moins qu'elle ne préfère l'« Entre Nous », assortiment de sorbets, salade de fruits et Chantilly. Erwan salive devant la « Dame Blanche ». Claire n'a pas faim. Il n'y a pas besoin d'avoir faim pour manger une glace. Peut-être, mais elle n'en veut pas et, non, ce n'est pas à cause du prix.

Elle a élevé la voix et porte un regard embarrassé aux alentours. Un de ses voisins l'observe. Tapi dans un coin, il jouit d'une vue imprenable sur la terrasse et les quais où les passants slaloment entre les chevalets, les poussettes et les laisses de chiens emmêlées. Tirant de rares bouffées sur son cigare, il la fixe sans le moindre gêne.

Puisqu'elle ne veut pas de glace, on rentre, mais avant, Arnaud accompagne Erwan aux toilettes. Claire tue l'ennui en broyant les feuilles de menthe agglutinées au fond de son verre. Elle aspire les dernières gouttes avec la paille et sent son voisin planer comme un vautour au-dessus de sa tête. Elle disparaît sous la table, ajuste les lanières qui enserrent ses chevilles et voit les semelles fatiguées du serveur entrer dans son champ de vision. Il échange quelques mots de connivence avec son client pour gagner son pourboire. Le plateau vissé dans la paume de la main, il repart.

Elle se redresse et cherche Arnaud des yeux. La voix teintée d'accent anglais qui psalmodie sur un rythme techno « Brigitte Bardot, Gilbert Bécaud, Gérard Depardieu, Vive la France ! » s'éteint brusquement.

— Ça fait du bien quand ça s'arrête.
— Comment ?
Son voisin s'est approché pour lui parler.
— Je dis que ça fait du bien quand ça s'arrête, ce boucan.
Elle répond en tordant sa petite cuillère :
— J'aime bien la musique.
— Parce que vous appelez ça de la musique ?
C'est fait, il la tient entre ses griffes, il la bombarde de questions. Oui, c'est vrai, cette musique c'est un peu répétitif. Oui, elle est en vacances. Pour trois semaines, pas loin d'ici. Non, pas une villa, un appartement. Une résidence avec piscine.
Elle aperçoit Erwan qui revient. Il longe le comptoir, son père est derrière lui. L'homme suit son regard, il s'écarte et s'empare de ses clés de voiture comme un voleur. Elle peine à l'admettre mais elle est un peu déçue, elle l'imaginait plus téméraire. Arnaud n'est qu'à une dizaine de pas quand il lui lance :
— Vous vous ennuyez.
Surprise, elle rétorque :
— Pas du tout. Je ne m'ennuie pas.
Déposant sa carte de visite Simon Colombani PDG de SeaContainer sur la table, il a le dernier mot :
— Ce n'était pas une question.

« Piège en or. Creuse une galerie vers les pépites d'or. Attention aux chutes de pierres et aux blorks ! Dirige le petit barbare avec +. Si tu es coincé, tu peux recommencer le niveau en appuyant simultanément sur L et R. » Erwan ignore le message et regarde ses parents qui se demandent si oui ou non ils vont aller à la soirée de bienvenue. Ils sont bizarres depuis leur arrivée, ils cèdent à tous ses caprices, mais heureusement, le petit barbare est là pour lui rappeler la dure réalité de l'existence. Avec lui, il déjoue les pièges, passe sous des pluies de bombes sans jamais reculer. Sept fois à terre huit fois debout.

Sa mère s'imagine peut-être lui faire plaisir quand elle dit :

— Vas-y avec Erwan, moi j'ai mal à la tête.

— Je ne vais pas te laisser toute seule, tu vas t'ennuyer.

Claire se débat comme un diable pour fuir son mari. Les quatre-vingts longueurs quotidiennes ne suffisent pas à laver cet ennui qui lui colle à la peau comme une sueur grasse. Il ne voit rien alors que ça crève les yeux d'un inconnu, ce « vous vous ennuyez » coule maintenant comme un poison dans ses veines.

Arnaud s'approche, ses bras sont des tentacules visqueux, ses baisers, des morsures. Elle s'écarte.

— Allez-y tous les deux, comme ça je pourrai me reposer.

— Sûrement pas. Tu sais quoi ? Je vais nous faire un risotto.

Elle ne sait pas quoi répondre. Une explosion déchire le silence. Le petit barbare est sans vie. Mécontent, Erwan quitte la pièce et part jouer sur la terrasse.

Chloé et Léa l'observent, cachées derrière les lauriers roses, elles gloussent en se donnant des tapes sur l'épaule. Il tourne les yeux vers le buisson et un blork en profite pour l'avaler.

— Chloé, Léa, vous n'allez pas chez les voisins sans autorisation.

« Bien fait pour elles », pense Erwan. Intrigué par les éclats de voix, son père débarque avec une gambas et un santoku à la main. Virginie et Vincent lui demandent d'une seule voix :

— Vous n'allez pas à la soirée d'accueil ?

— Non, on n'y va pas. Ma femme a mal à la tête.

Vincent fixe la lame qui miroite au soleil comme un sabre. Il insiste :

— C'est dommage. Vous n'avez qu'à venir avec votre fils, comme ça il pourra jouer avec les filles.

Les petites tournent dans les jambes de leur père en lançant des regards de chatte à Erwan. Arnaud fait mine de réfléchir. C'est trop tard, il a commencé à cuisiner. Un bruit sourd interrompt la conversation. Il se précipite à l'intérieur.

— T'es tombée ?

À genoux sur le sol, Claire rassemble les fiches de recettes et se demande ce qui la retient d'assommer Arnaud avec *Ça change des coquillettes* ou de lui faire avaler les pages une par une afin qu'il comprenne vraiment ce que ça veut dire « étouffer ».

Soulagé, il revient sur la terrasse et lance :

— Fausse alerte ! C'est un livre qui est tombé.

— Sûr ? Vous ne venez pas ?

— Non, une autre fois.

Virginie est déjà en route, elle ne tient pas spécialement à passer la soirée avec sa voisine. Vincent la rattrape en allumant une cigarette.

— Alors ? Ils ne viennent pas ?

— Non. C'est con, il a l'air sympa, le voisin.

— N'empêche que sa femme aurait pu sortir dire bonjour.

— Elle a mal à la tête.

— Forcément, il faut que tu la défendes.

Il crache la fumée vers le ciel.

— Mais non, ma Ninie, je ne la défends pas.

Il l'embrasse dans le cou et elle lui crie dans l'oreille :

— Les filles ! Vous attendez.

Chloé et Léa sont déchaînées. Elles savent que ce soir, c'est la fête, leur père a tartiné ses cheveux avec du gel et leur mère a mis sa robe fuchsia. La fermeture Éclair est restée coincée un moment au niveau des hanches, mais c'est la faute du sèche-linge, il l'a rétrécie.

Virginie remarque derrière une porte-fenêtre un chien dressé sur ses pattes, le museau collé à la vitre.

Manifestement, ses maîtres sont partis s'amuser sans lui. Elle est scandalisée et pense aussitôt à Hercule.

— Tu crois qu'il va bien ?

— Tu as vu le message de tes parents ?

— Peut-être qu'ils ne disent pas la vérité pour qu'on ne s'inquiète pas ?

Vincent la retient par le bras et la rassure pour la centième fois.

— Regarde-moi. Tu arrêtes d'y penser. D'accord ?

Elle soupire. Ils ne sont plus qu'à un jet de pierre du parvis où est organisée la soirée. Les résidents se pressent, certains vont même jusqu'à les doubler dans l'escalier. À l'arrivée, Virginie est déçue de trouver toutes les tables occupées. Vincent est chargé du ravitaillement, une tâche incommode car les pique-assiette se dressent en rempart devant le buffet. Appelée en renfort, Katharina ne sait plus où donner de la tête. Elle manque de tomber dans la poubelle remplie de glace et de bouteilles de rosé. Oui, elle va baisser la musique. Comme ça, ça va ? Encore ? Là, c'est parfait.

Vincent commande deux verres de vin et du jus d'orange pour les filles. Le Coca, c'est une fois par mois et c'est chez Papy. En attendant, il se contorsionne pour atteindre le saladier de cacahuètes.

Le directeur de Riva Bella scrute son personnel avec une lueur d'inquiétude et lance à la cantonade :

— Qui a volé le tire-bouchon ?

Le tire-bouchon a disparu, il ne manquait plus que ça. Il en a vu dans sa carrière, mais cette année, c'est le bouquet. À peine a-t-il réglé un problème qu'un autre lui tombe dessus. L'installation du satellite est un cauchemar, toutes les semaines les nouveaux viennent se plaindre du mauvais fonctionnement de la télévision.

Un géant en bermuda et sandales profite de sa présence pour en remettre une couche :

— On n'a toujours pas la 2 et on n'a pas le wi-fi. Moi, je vous dis, avec tout ce qui ne marche pas dans cette résidence, on pourrait faire un livre.

C'est l'occasion pour le directeur de mettre en pratique les conseils reçus au cours de sa formation sur le sourire. En novembre, mois de jachère touristique, il s'est rendu trois jours à Paris pour découvrir que des scientifiques s'étaient sérieusement penchés sur la question, le plus célèbre étant Guillaume-Benjamin Duchenne, neurologue du XIXe siècle. Grâce à des rhéophores placés sur le visage d'un cobaye et traversés par un courant alternatif, il a pu démontrer qu'un sourire sincère impliquait obligatoirement le mouvement du grand zygomatique en même temps que la contraction du muscle orbiculaire de l'œil, muscle qui échappe à notre contrôle. Ce sourire infalsifiable est appelé en hommage à son découvreur le « sourire de Duchenne ».

Les travaux pratiques ont tourné à la franche rigolade quand chacun a essayé, sous l'œil goguenard du voisin, d'imiter l'inimitable. Comme tous les participants, le directeur a promis de s'exercer chaque matin dans sa salle de bains, parce que démarrer la journée avec un sourire, c'est bon pour le moral.

Sous les hourras, Katharina brandit deux tire-bouchons. Le service peut reprendre. Encore quelques verres et les râleurs seront doux comme des agneaux. Vincent comprend leur agacement. La télévision, ce n'est pas si grave, mais l'absence de wi-fi dans l'appartement, c'est insupportable. Sans arrêt il doit trouver des prétextes pour aller sur OptionBin. Dès que Virginie est occupée avec les filles, il rejoint les internautes collés comme des mouches autour de la réception. Chacun y va de son commentaire, « Combien de barres ? », « Quatre sur cinq », « Quatre ? C'est bien, moi, j'en ai deux », « Mettez-vous près des lavandes, ça marche mieux ».

Les verres maintenus dans un équilibre précaire, il se faufile entre les vacanciers. Il est anxieux, le trading ne donne pas les résultats escomptés, son capital a déjà fondu d'un tiers. Jeanne l'a rassuré, c'est normal au début. S'il investissait trois mille euros supplémentaires, il entrerait dans le saint des saints et bénéficierait des informations VIP. Trois mille euros, c'est une somme. Il hésite. Ceux qui réussissent ne prennent-ils pas des risques tous les matins en se levant ? Il se lance et, pour le récompenser, Jeanne porte à son crédit un deuxième « bonus exceptionnel ».

Virginie est adossée à la barrière qui longe la piscine. En grande conversation avec un yorkshire, elle sent monter une vilaine tristesse. Vincent lui tend un verre. Deux gorgées et elle est « pompette », elle n'aurait pas dû accepter le rosé abricot que le propriétaire du yorkshire lui a offert. Il faut qu'elle mange. Maintenant. Des chips. Léa réplique que les chips, c'est interdit. Oui, mais là, c'est pas pareil, maman est « pompette ».

Vincent repart vers le buffet et quand il revient, il trouve sa femme au milieu de la piste en train de se déhancher avec les filles sur la compilation des années 80. Elle chante à tue-tête *Voyage, voyage* et un homme certainement hypnotisé par sa poitrine danse sur un rythme connu de lui seul. Vincent est content de la voir s'amuser, il y a bien longtemps qu'il ne l'a vue passer une soirée ailleurs que sur sa chaise. Une chaise, voilà ce qu'il lui faut pour s'enivrer tranquillement. L'affluence est telle qu'il doit se contenter d'un tabouret cédé par un couple de retraités qui regardent toute cette agitation comme deux vieux lions fatigués.

D'un œil, il surveille Virginie, il la connaît, il sait qu'elle va s'écrouler sans prévenir. Quand le moment vient, ils rentrent bras dessus, bras dessous en zigzaguant sur le chemin. Lui, passablement éméché, répète : « C'est ça, les vacances ! », en détachant le « ça ». Il cherche les clés de l'appartement pendant que Virginie s'extasie sur les lauriers. Elle en plantera au retour, non, elle achètera des pots parce que l'hiver, ça gèle. Elle tire sur sa robe. Elle a chaud. Et si on dormait dehors ? Comme au Camping des mimosas. Tu te rappelles ? Bien sûr qu'il se rappelle, c'était neuf mois avant la naissance de Léa.

De l'autre côté de la cloison, la lumière est allumée, Claire lit sur la terrasse. Elle ne trouve pas le sommeil, la carte de Simon Colombani est glissée entre les pages de son roman. Elle pense à lui, à son teint hâlé, à son air impérieux et ses yeux perçants sous des sourcils broussailleux.

Vincent trouve enfin le trou de la serrure et plaisante :

— Ah, ça, ma Ninie, tu peux dire que tu ne t'es pas ennuyée.

Claire referme son livre et prend son téléphone pour envoyer un message. Sa décision est prise, il ne lui reste plus qu'à cliquer sur « envoyer ».

Le rendez-vous a été fixé derrière une église où la messe est dite un dimanche sur quatre. Simon pose ses lunettes de soleil sur le tableau de bord et invite Claire à le rejoindre, ce qu'elle fait à petits pas tendus.

Le sac posé sur ses jambes qui dépassent de sa jupe comme deux baguettes chinoises, elle ne sait pas trop quoi dire. « Bonjour » suffira. Dans le rétroviseur, elle ne reconnaît pas celle qui a eu l'audace d'envoyer ce message et encore moins celle qui a menti à son mari et à son fils.

Sa casquette vissée sur le crâne, Simon démarre pleins gaz.

— On y va.

Claire se laisse transporter sans oser l'interroger sur la destination. La Maserati file sous les platanes et le ronronnement du V8 se mêle à l'*Été* de Vivaldi, diffusé sur Radio Classique.

Poussant le volume, il s'exclame :

— Ça, c'est de la musique !

Claire sourit, d'un sourire qui ne montre pas les dents. L'accent marseillais de Simon, cette joviale assurance, tout l'amuse.

À la sortie d'un virage, il écrase la pédale de frein derrière un tracteur qui sème tranquillement ses brins de paille sur la chaussée. À la première occasion, il le double et colle sa passagère au siège. Elle pousse un cri d'effroi et de plaisir. Ils roulent à vive allure jusqu'à l'entrée d'un village où deux adolescents promènent leur ennui. Au stop, ils traversent, les mains dans les poches et les yeux rivés sur la voiture. Claire gonfle la poitrine, fière comme une poule. Simon redémarre et quitte la route deux kilomètres plus loin pour s'engager sur un chemin privé menant au terrain de golf où il a ses habitudes. Claire ne s'attendait pas à ça. L'idée est originale. Après tout, ce n'est qu'un jeu, et jouer n'a jamais fait de mal à personne.

Le parking est plein, mais Simon ne désespère pas. Il trouve une place sous les branches hirsutes d'un pin parasol. En sortant de la voiture, Claire remarque les rayures sur le pare-chocs et la bosse sur l'aile avant droite.

— Qu'est-ce qui vous est arrivé ?

— Rien, c'est un con qui a reculé sans regarder.

Caressant la tôle comme un animal blessé, elle ajoute :

— Il ne vous a pas raté.

La Maserati sortait d'un polishage à l'orbital avec lustrage et cire trois couches. Mieux vaut ne pas y penser.

— Allez, venez.

Fer 7 en main, il remplit un seau de balles à l'entrée du practice pendant que Claire profite de la quiétude et de l'élégance maîtrisée du paysage. Pour Simon, le golf est une école de la vie, un parcours semé d'embûches où il faut savoir sacrifier quelques balles.

N'allez pas lui dire que c'est un sport d'héritier, pas à lui qui a connu les chaussures recollées et la viande le dimanche. Simon Colombani est parti d'en bas, il ne doit rien à personne et n'a que mépris pour les théories déterministes des sociologues patentés.

La leçon commence. D'abord, la position des jambes. Imaginer que cette sortie n'était qu'un prétexte pour faire connaissance, c'était mal le connaître.

— Regardez. Vous vous mettez au-dessus de la balle et vous ne la lâchez pas des yeux.

Surmontant son appréhension, Claire se concentre sur le mouvement de swing qu'il décompose devant elle en trois temps. À tout prendre, elle aurait préféré une valse.

— À vous !

Elle déroule le fil des consignes dans sa tête et passe deux fois au-dessus du tee. Simon corrige son geste. Il faut de la patience. Il plaisante :

— Tout le contraire de moi, mais vous verrez, quand vous aurez attrapé le virus, vous ne pourrez plus arrêter.

Un bruit sec et mat accompagne le décollage de la balle qui rebondit une vingtaine de mètres plus loin. Claire exulte et frappe la suivante. Trop vite.

— Prenez votre temps entre deux coups, lâchez le club, déliez vos doigts.

Simon pose ses mains sur sa taille pour lui faire prendre conscience du mouvement des hanches. Il soutient son bras et le déplie en dessinant un arc. La chorégraphie la laisse pantelante, elle rate les balles avec une constance remarquable. Il tente de rectifier le tir, mais une fois le seau terminé, il comprend qu'il vaut mieux en rester là.

— Allez, on va se rafraîchir. C'est pas mal pour une première fois.

Soulagée, Claire le suit jusqu'au club-house. Il salue le barman et lui demande la recette de sa limonade, c'est devenu un jeu entre eux, « mais si je vous la donne, monsieur Colombani, vous ne viendrez plus me voir. Du feu ? » Simon acquiesce et se ravise, pour la plupart les femmes n'aiment pas l'odeur du cigare.

Sur la terrasse, elle choisit un fauteuil tourné vers la mer et remonte ses lunettes de soleil sur le front. Les questions se bousculent. Que vont penser les gens qui saluent Simon ? Qu'elle est sa maîtresse ? Combien de femmes a-t-il emmenées ici avant elle ?

Le serveur apporte les limonades avec quelques mignardises. Simon est assoiffé.

— Trinquons à votre premier golf. Il faut faire un vœu.

Claire trempe à peine ses lèvres. Avec une curiosité enfantine, Simon lui demande :

— C'est quoi votre vœu ?

— Si je le dis, ça ne marchera pas.

— Exact.

Caressant les accoudoirs métalliques, il observe sa partenaire. D'ordinaire, il trouve les femmes trop coquettes ou pas assez, mais là, il n'y a rien à dire. Il va prendre son temps, faire un brin de cour, le temps où il fallait lui passer le mors pour le retenir est derrière lui.

— Elle est bonne, la limonade.

Claire ne sait pas si c'est une affirmation ou une question.

— Oui.

— Le barman ne veut pas me donner la recette mais je la demanderai au patron.

Simon approche son fauteuil de la table qui trace la frontière entre eux et prend un ton de confident.

— Dites-moi tout. Je veux tout savoir sur vous.

Claire tire sur sa jupe, dit qu'elle est mariée, qu'elle a un petit garçon de sept ans. Simon sourit. Ça, il le sait déjà. Elle prend soudain conscience de l'avantage qu'il a sur elle. Elle ne sait rien de lui, il n'a pas d'alliance, mais ça ne veut rien dire, beaucoup d'hommes ne la portent pas. La question lui brûle les lèvres, mais elle n'ose pas la poser, alors elle parle de son travail à la banque, de la cliente chinoise qui lui a offert un fer à friser pour la remercier d'avoir démêlé un problème de virement à l'étranger, de ce retraité qui vient tous les matins lui demander s'il a assez d'argent sur son compte pour prendre un café et des autres.

Elle ne restera pas au guichet, elle va passer un diplôme pour devenir cadre. Simon l'encourage, c'est capital l'ambition. Si Arnaud pouvait l'entendre. Dans le privé, il aurait un meilleur poste, mais tout ce qui l'intéresse c'est la photo. Au début, c'était charmant, cette passion pour les fleurs, les petits oiseaux, mais aujourd'hui elle trouve ça envahissant, toxique. Vous savez qu'on peut tuer quelqu'un avec un brin de muguet ? Un excellent poison pour le cœur, le muguet.

Claire se livre avec cette liberté de ton que seuls

deux inconnus peuvent se permettre. Elle repose sa limonade et demande à son tour :

— Vous pensiez vraiment ce que vous avez dit l'autre jour ? Que je m'ennuyais.

— Bien sûr que je le pensais. Vous êtes mariée depuis combien de temps ?

— Quatorze ans.

— Après quatorze ans, c'est normal.

— Et vous ? Vous êtes marié ?

— Oui. J'ai deux grandes filles. L'aînée vit à Boston, elle est partie étudier là-bas et elle a rencontré un Américain.

— Ça n'a pas l'air de vous faire plaisir.

— Je n'aime pas l'Amérique. Tous des fadas vissés sur leur écran. Et leur mentalité ? Faut voir. Un soir, j'étais à la terrasse d'un bar avec ma fille et mon gendre, il y avait deux clients qui s'embrassaient et qui fumaient sur le trottoir. Eh bien, vous me croirez ou pas, la serveuse est sortie et les a virés comme des malpropres. Mieux, elle nous a offert une bouteille de vin pour le dérangement. Des fadas, je vous dis.

Claire sourit, amusée par la verve pittoresque de Simon. De l'Amérique, elle ne connaît que les décors filmés par les réalisateurs de séries télévisées, gratte-ciel pour la côte est et villas sur l'océan pour la côte ouest.

Simon regarde sa montre et s'exclame :

— Cinq heures.

— Déjà ?

— Il faut y aller si vous ne voulez pas être en retard.

— Si vous voulez.

— Pourquoi vous souriez ?

— Rien, c'est à cause de mon mari, il me répond sans arrêt « Si tu veux », « Comme tu veux », et ça m'exaspère.

Simon ironise. C'est à l'homme de diriger, non que les femmes n'aient pas leur mot à dire, mais elles doivent pouvoir se reposer sur lui.

— Vous n'avez jamais pensé à divorcer ?

— Si.

— Alors ?

— Mes parents ont divorcé quand j'avais quinze ans et je ne veux pas faire comme eux.

La note réglée, ils traversent le couloir tapissé de photos de champions.

— Alors ? Ça vous a plu ?

Sans attendre la réponse, il la retient par l'épaule.

— On va se tutoyer, non ?

— D'accord, on se tutoie.

— Regarde, lui, là-bas, c'est un chirurgien de la clinique des Oliviers. Je me demande quand il opère, il est tout le temps au bar.

Claire se demande comment Simon peut se promener aussi librement avec elle. Tout le monde doit savoir qu'il est marié.

— Vous venez souvent avec votre femme ?

Elle se reprend.

— Tu viens souvent avec ta femme ?

— Jamais. Le golf lui fait mal au dos.

Sur le parking, il la devance et lui ouvre la portière. Le cuir du siège est encore tiède. Claire pose son sac à ses pieds et se fait surprendre par le vrombissement du moteur.

Simon fait marche arrière et s'arrime à l'appui-tête de sa passagère. Il reste au point mort une longue minute et la regarde. Elle ne quitte pas des yeux ses mains sagement alignées sur ses cuisses. C'est trop tôt. Le fruit n'est pas assez mûr pour se détacher de l'arbre. Pour détendre l'atmosphère, Simon lance :

— La prochaine fois, je t'emmènerai dans un restaurant, une merveille.

« Il veut me tuer ou bien il veut que je le tue. » Les genoux ramassés contre sa poitrine, Claire rumine comme un détenu au fond de sa cellule. Sourd aux rires des enfants qui s'échappent autour d'eux comme d'un pneu crevé, Arnaud détaille les caractéristiques d'un trépied photographique vanté par son magazine.

— Il n'est pas donné mais le niveau à bulle m'aurait bien servi dans les vignes. T'en penses quoi ?

Il y a mille parasols sur cette plage et il faut qu'elle soit sous celui-là, à écouter des histoires de niveau à bulle, à côté d'un type incapable de voir à l'œil nu que tout va de travers.

— Je ne sais pas moi, c'est toi le spécialiste.

— Maman. Regarde, j'ai trouvé ça.

— Jette-le, c'est dégoûtant.

Transpirant sous sa casquette, Erwan enterre le mégot tandis que son père se lance dans une diatribe contre les fumeurs. Si, au moins, ils se contentaient de se détruire la santé, mais non, ça ne leur suffit pas, il faut qu'ils bousillent la nature. Trois ans pour désagréger un filtre, franchement, on devrait interdire de fumer sur les plages.

— Tu n'es pas d'accord, ma chérie ?

— Quoi ?

— Qu'il faudrait interdire de fumer sur la plage.

— Peut-être.

Claire cherche l'huile de bronzage dans son sac et tombe sur la carte de visite de Simon qui dépasse de son étui à lunettes. Elle sourit et décide d'aller se baigner. Erwan la suit.

— Je peux venir avec toi ?

— Non, mon chéri, je vais trop loin. Tu iras avec ton père.

Le garçon frappe le sable avec le pied et fait demi-tour. Claire se promène entre les serviettes comme une femme sûre de sa silhouette. Le premier contact avec l'eau lui fait perdre sa belle assurance. Après une grande respiration, elle se glisse sous les vagues et remonte à la surface comme un dauphin. Elle avance, portée par la présence invisible de Simon. Quand il a déposé un baiser sur sa main devant l'église, son corps tout entier s'est mis à vibrer comme une corde sous l'archet. Frappant l'eau avec la régularité d'un métronome, elle atteint la limite de la zone de baignade.

Elle enlace la bouée et se balance comme un culbuto. Si tout n'était qu'un leurre ? Si elle se trompait ? Elle se souvient de la phrase de sa collègue Astrid qui se plaignait à la machine à café : « Toi, au moins, tu as de la chance, tu vas passer le jour de l'an avec ton mari, moi, depuis mon divorce, c'est en tête à tête avec ma fille. » Et puis les divorcées sont rarement les bienvenues, elles sont perçues comme des briseuses de ménage. Sa mère et sa sœur ont peut-être raison, Arnaud est gentil, il s'occupe bien de son fils, ce serait plus raisonnable d'oublier Simon, mais elle n'a fait que ça toute sa vie, être raisonnable.

À cette distance, la plage est comme un décor de Playmobil avec ces petits personnages colorés et uniformes. Chahutée par le passage d'un jet-ski, elle repart sur le dos et cherche le moyen d'échapper à Arnaud sans trop éveiller les soupçons. Une idée lui vient, mais ça ne tiendra pas longtemps. Elle accélère.

Sur le rivage, elle tombe à genoux sur le sable humide et tord ses cheveux au-dessus de ses épaules. Deux adolescents jouent avec des raquettes, le garçon retient ses coups alors que la fille frappe de toutes ses forces pour le faire reculer.

Encore essoufflée, elle rejoint Arnaud et hoche la tête en apercevant les Bourdon. Vincent s'exclame :

— C'est nous !

Il se lève pour l'embrasser et Virginie se contente d'un geste de la main. Chloé et Léa se disputent une paire de lunettes de soleil. Leur mère les rappelle à l'ordre et elles disent « bonjour » timidement.

Vincent se penche vers sa femme et lance :

— Tu ne vas pas rester tout habillée, il fait super chaud.

Virginie serre les poings. Il a pris seul l'initiative de s'installer avec les voisins et il voudrait en plus qu'elle se déshabille ? Plutôt mourir que d'enlever sa robe devant Claire. Il sait que ça la rend malade de s'exposer en public mais ça lui passe au-dessus de la tête.

Arnaud agite un sachet devant les enfants.

— Qui veut de la brioche ?

— Moi, crie Erwan.

Chloé et Léa attendent un signal de leur mère pour accepter. Vincent allume une cigarette et Erwan déclare avec le sérieux comique des enfants qu'il faut trois ans pour que le mégot se décompose et qu'on devrait interdire de fumer sur la plage. Virginie approuve. Vincent l'éteint et sort le mini-ballon de rugby qu'il vient d'acheter au bazar à l'entrée du parking. Tout le monde va jouer sauf Claire et Virginie.

Allongées sur le ventre, elles observent dans un silence complice une mère de famille qui fait des sudokus avec son mari assoupi à côté d'elle.

Virginie se plaint de la chaleur. Chez elle, à Nancy, il peut faire chaud, mais c'est différent. Claire ne connaît pas la Lorraine, elle est d'origine bretonne. Virginie est allée une fois en Bretagne mais question soleil, ça ne vaut pas le Sud. Les filles adorent venir ici, c'est la troisième année qu'ils louent dans le coin. D'habitude, ils prennent les deux semaines avant la rentrée mais cette année, ça n'a pas été possible. Ça lui rappelle aussi qu'elle n'a toujours pas de nourrice pour septembre. Depuis qu'elle a demandé à Vincent d'installer une caméra espion, elle ne garde plus personne.

Claire l'écoute et ne livre que des informations superficielles sur son métier. Virginie parle pour deux, c'est vrai qu'à la préfecture elle en voit de toutes les couleurs. Elle se fait régulièrement insulter par des étrangers qui n'obtiennent pas leur titre de séjour, quand ce ne sont pas des menaces de mort. Évidemment, on n'en parle jamais à la télévision, on nous rabâche que c'est la crise, que la Sécu est en déficit, mais on soigne gratuitement des gens entrés illégalement sur le territoire. Vous trouvez ça normal ?

Vincent interrompt la conversation en se jetant comme un sac de sable à ses pieds.

— Vous avez déjà fini ?

— Oui, il fait trop chaud, on va se baigner. Vous venez ?

Claire accepte sans hésiter. Virginie se liquéfie. Elle ne sait pas très bien nager et ne veut pas qu'on la voie en maillot. Vincent le sait mais il espère toujours la faire changer d'avis.

— Tu resteras au bord, Ninie. Arnaud est là-bas avec les enfants.

Elle regarde la femme aux sudokus qui pose son cahier sur le dos de son mari, sort une bouteille d'eau de la glacière, boit, la remet dans la glacière et reprend son cahier sans que le mari ait bougé d'un pouce.

Quand elle tourne la tête, Claire et Vincent sont déjà partis. Au prix d'un effort surhumain, elle enlève sa robe, traverse la plage comme une fusée et se jette à l'eau. Épaté par l'exploit, Vincent l'arrose en balayant la surface de l'eau comme les pales d'un hélicoptère et lance un défi.

— Le premier arrivé à la corde !

Claire est partante, Arnaud reste au bord pour surveiller les enfants. Erwan boude parce que son père l'a forcé à mettre ses brassards devant les filles. Léa donne le départ de la course. Virginie a trop tardé à se décider et tente malgré tout de les rattraper. Nageant comme un pantin désarticulé, elle scrute le fond tapi de monstres sous-marins désireux de l'avaler.

Soudain elle crie :

— J'ai plus pied ! J'ai plus pied !

Arnaud s'élance pour la ramener vers le bord. Il n'est pas aussi bon nageur que sa femme mais se sent assez fort pour la secourir. Virginie boit la tasse et se débat comme un diable. Il peine à la maintenir hors de l'eau. C'est une chance, elle n'est pas allée loin et ses pieds touchent maintenant le sol sablonneux.

Reprenant son souffle, elle s'excuse.

— Je suis désolée, je vous ai donné des coups de pied.

— C'est rien, c'est pas grave. Claire pourrait vous apprendre, si vous voulez.

— Non. Ça ira, je n'ai pas très envie de recommencer.

Ils ont de l'eau jusqu'à la poitrine, les filles s'agitent dans leur bouée pour arriver jusqu'à eux. Léa est inquiète :

— Ça va maman ? T'as pleuré ?

Arnaud s'esclaffe :

— Mais non, c'est l'eau de mer, ça pique.

Virginie se force à sourire et se tourne vers l'horizon. Elle croit reconnaître Vincent, accroché à la bouée, et Claire à côté de lui. Une boule grossit dans sa gorge et glisse lentement vers son ventre.

« Vous avez demandé 50 euros, nous interrogeons votre banque. » Le sablier se vide, Vincent ressent un léger pincement. Il arrache les billets et les roule au fond de sa poche sans attendre l'impression du ticket. Passant devant un 4 x 4 flambant neuf, il jette un œil à l'habitacle et poursuit son chemin avec un sentiment mêlé d'envie et d'appréhension. Il a beau faire et refaire ses calculs, le résultat est le même, il perd de l'argent. Que ce soit sur le marché des devises, des matières premières ou des indices, la courbe se retourne systématiquement contre lui juste avant le terme.

Il allume une cigarette et repère Virginie et les filles parmi la foule. Assise sur un des bancs installés par les agents municipaux au centre de la place du village, elle lit le mot de monsieur le maire : « Les estivants sont en droit d'attendre de la Côte d'Azur plus qu'un ensoleillement exceptionnel. Les manifestations programmées n'ont pas une vision élitiste de la culture et renouvellent l'ouverture sur des territoires afin de concerner de nouveaux publics. » Officieusement, la mission est confiée à des comédiens et des musiciens proches de l'adjoint chargé de bricoler une saison suivant les recommandations de l'édile : « Tu fais ce que tu veux, tant que ça rentre dans l'enveloppe. »

Virginie a convaincu Vincent de l'accompagner parce que « la culture, c'est important, et puis ça change du marché nocturne ». Elle lui tend le programme de la soirée. La Compagnie Motivée livre une représentation tout public en un acte sur des thèmes d'actualité : méfaits de l'hyperconsommation, trou dans la couche d'ozone et fraternité entre les peuples. Il poursuit la lecture à haute voix : « Ce n'est pas seulement un divertissement, mais un spectacle porteur d'une résonance sociale profonde qui donne des moyens de réflexion à chacun et nous fait vivre des émotions sur ce sujet dans un grand éclat de rire. » Fronçant les sourcils, il s'exclame :

— Tu m'avais dit que c'était un concert.

— Non, le concert, c'est vendredi soir.

Vincent maintient qu'il a bien entendu « concert » et non « théâtre », sinon il ne serait pas venu. Tous les ans, elle lui fait le coup et tous les ans, il se fait avoir. Il a sa dose de « jonglages d'emballages » et autres spectacles vivants qu'il préférerait voir morts.

Le public est à peine installé qu'un personnage aux airs de croque-mort entre en scène. Il déverse le contenu d'un sac-poubelle à ses pieds sans prononcer un mot. Un silence inquiet s'abat sur les rangs, Vincent se demande si c'est un malade qui est venu saboter la pièce et n'ose plus recracher sa fumée. Pris d'une quinte de toux, il s'éloigne et part trouver refuge près du terrain de pétanque.

Le faux croque-mort est rejoint par deux médecins en blouse blanche appelés d'urgence au chevet de la planète. Vincent écrase son mégot sur une plaque d'égout, il distingue au loin le visage statufié de ses filles, fait assez rare pour qu'il s'en amuse.

Adossé à un horodateur, il jette un œil aux messages sur son portable. Rien de neuf. À 10 h 17, Virginie a écrit : « N'oublie pas le pain », à 14 h 28 : « On est à la piscine » et à 16 h 30 : « T où ? » Plus les années passent, plus les phrases raccourcissent.

Vincent est nostalgique de l'époque où ils parlaient de tout et de rien pendant des heures, émerveillés de se trouver autant de points communs. L'époque où elle fumait comme un pompier pour évacuer le stress du concours, où les vendredis soir étaient copieusement arrosés à la vodka. Au petit matin, ils rentraient de boîte de nuit et balançaient au pied du lit leurs vêtements imprégnés de sueur et de tabac. Elle n'avait pas besoin d'éteindre la lumière pour se déshabiller devant lui, elle tirait deux ou trois bouffées de la dernière cigarette et soufflait la fumée dans sa bouche avant de s'endormir contre lui.

Aujourd'hui, il fume seul, boit de la vodka-pomme pour les grandes occasions et quand il la voit sur ce banc parmi les anonymes, il ne la reconnaît plus, c'est comme s'il l'avait perdue en route. C'est la naissance de Léa qui a tout changé. Finis les week-ends surprises, les soirées débridées, le piège indolore s'était refermé sur eux. Contaminés par la fièvre planificatrice, ils programmaient tout, l'achat de la maison, le nombre d'enfants, les cycles de contraception. Lancés dans une course qu'ils n'avaient pas choisi de courir, ils exhibaient les naissances et une réussite matérielle enviable aux yeux de leurs amis et de leur famille. Ils faisaient ce qu'on attendait d'eux.

— Ah ! s'écrie la foule d'une seule voix.

Les acteurs lancent en direction du public des conteneurs remplis de détritus. Le metteur en scène a fait coller les déchets à l'intérieur, mais l'effet est garanti. Vincent profite de l'agitation pour regagner discrètement sa place. Virginie l'interroge du regard en triturant un bouton du chemisier anglais hors de prix que ses parents lui ont offert à Noël.

Chloé se colle à son bras. La pièce ne l'amuse pas du tout. Elle lui dit dans l'oreille :

— C'est bientôt fini ?

— Oui.

— Comment tu sais ?

— Chut.

Elle pince sa sœur qui pousse un hurlement. Sa mère la menace d'une punition, Vincent murmure :

— Je vais la ramener.

Virginie dit d'une voix étouffée :

— Tu n'attends pas qu'on rentre tous ensemble ?

Vincent répond « non » de la tête et pousse Chloé devant lui. Au même moment, sur l'estrade un des comédiens en blouse blanche crie qu'il ne faut pas jeter les téléphones portables comme des Kleenex « parce que sinon la planète va faire boum ! » Sur quoi, il perce les ballons de baudruche accrochés au décor.

Léa se bouche les oreilles. Sa mère n'entend rien. Le départ prématuré de son mari l'angoisse. Chloé, n'est qu'un prétexte.

Le final musical est envoyé dans un grand éclat de

rire et le croque-mort, rejoint par la troupe au grand complet, annonce :

— La Compagnie Motivée vous remercie de votre attention et vous souhaite de bonnes vacances !

Déconcerté, le public applaudit et se disperse aux quatre vents comme un troupeau sans berger. L'air s'est rafraîchi, Virginie enfile son gilet et prend sa fille par la main.

— Tu as aimé la pièce, ma chérie ?

— Ouais, c'était pas mal. N'empêche que si vous rechangez de téléphone à Noël, vous allez faire péter la planète.

— Oui. Enfin. Il ne faut pas exagérer, Léa, c'est du théâtre.

« Elle est en manque, es-tu prêt à la satisfaire ? »

Arnaud détourne les yeux et se concentre sur les tomates grappes qui semblent vouloir s'échapper du panier. L'écran l'attire comme un aimant, il fait tout ce qu'il peut pour se débarrasser de ces invitations intempestives, mais elles reviennent chaque fois plus nombreuses.

Il boit d'un trait le verre d'eau servi avec son café et se frotte les mains sur son short. Il va y arriver, il suffit de respirer calmement et de se concentrer sur son blog. Comme il s'y attendait, la « Photo mystère » postée avant son départ n'a toujours pas été découverte et fait l'objet de très nombreuses suggestions. Au milieu des commentaires, il repère la prose du syndicaliste de l'étage, Militant69, qui informe ses collègues qu'à l'issue d'une négociation mémorable « 1981 » a été retenu comme nouveau code pour la photocopieuse. Arnaud lui a déjà demandé de ne pas utiliser le forum à des fins personnelles, mais c'est plus fort que lui, régulièrement, il revient dénoncer les abus et les dernières trouvailles de la direction en matière de cosmétique statistique. Arnaud n'a que faire de ces petits arrangements, pour lui, les chiffres sont comme les défunts, il faut les rendre présentables.

« Trouve un plan cul avec une fille dans ta ville. »

La fille qui s'offre à lui est cette fois très jeune. Calée dans un fauteuil de style, elle tient ses jambes écartées et fait tourner une coupe de champagne entre son pouce et l'index. Les doigts humides d'Arnaud dérapent sur le clavier. La petite croix en haut à droite clignote et l'empêche de fermer la fenêtre. C'est trop, il ne résiste pas et se connecte à Pornhub.com. Combien de fois a-t-il voulu arrêter ? Il ne les compte plus. La pulsion l'emporte sur la honte. Contrairement au drogué ou à l'alcoolique, il est assez facile de cacher son addiction à la pornographie, ce qui est une chance autant qu'un handicap. En parler n'est pas davantage possible. À l'alcoolique, à l'héroïnomane on trouve des excuses, au porno-dépendant, c'est plus rare.

La main gauche glissée au fond de sa poche, il observe les vacanciers attablés sous les parasols publicitaires du Café Panis. Un homme en tenue de cycliste lit une revue spécialisée pendant que sa femme vérifie la température du biberon, une habituée, la soixantaine nerveuse, chapeau de paille et cigarette au bec, s'envoie son premier blanc sec de la journée, plus loin, deux petits vieux grattent un jeu « Dédé le cochon » en disant « c'est pas grave, peut-être la prochaine fois » et à côté d'eux, trois motards rient aux éclats devant la manchette du journal local : « Elle se coince la main dans la boîte aux lettres de la banque. » Personne ne remarquera sa petite activité souterraine.

De la main droite, il tape sur le clavier pour lancer la vidéo et souffle sur ses ongles rongés jusqu'au sang. Ni les remèdes de grand-mère, ni le vernis au benzoate acheté par paquets de six ne sont venus à bout de cette manie.

Une femme nue se glisse sous une barre de fonte, le visage à hauteur des cuisses de son coach.

— Je peux vous encaisser ?

Arnaud rabat brusquement l'écran et tremble en cherchant son porte-monnaie. Tout en faisant de la place sur son plateau, la serveuse lance :

— Il est peut-être tombé de votre poche ?

Elle a vu un couple de jeunes mariés chinois, lui, costume de Claude François, elle, meringue dégoulinante sous le soleil, une famille photographiée devant une Lamborghini (le propriétaire a glissé derrière le pare-brise une affichette « Ne pas toucher » traduite en sept langues), le groupe numéro 21 à la recherche de son guide et, recueillie au pied de la tombe de la princesse Grace, une sexagénaire russe coiffée comme le chanteur de Kiss.

— Ça t'a plu ?

— C'est original.

— C'est Monaco.

L'eau noire rebondit au hasard des coques sous le Rocher et Claire savoure ses dernières heures sur *La Périchole*. Simon frétille en la voyant jouer avec la paraison de son verre et l'attire sur les coussins moelleux. Dès que ses mains frôlent sa poitrine, elle se raidit et le repousse avec un sourire gêné. Beau joueur, il lui baise la main et va chercher une bouteille de champagne dans la cabine.

Ne sachant plus à quel saint se vouer, elle scrute le ciel. Les étoiles sont comme des diamants au fond de la mine noire. Simon a déployé toutes ses ressources pour l'éblouir. Ils ont d'abord longé la côte sur son yacht, écumé les boutiques de luxe et dîné dans le restaurant d'un chef dont la renommée fait de lui un fantôme en cuisine. Plus tard, au casino, elle a vu fondre des montagnes de plaques sous les doigts d'un prince du désert.

Simon revient et fait sauter le bouchon d'un brut rosé. Ce n'est pas ce qu'il préfère mais Claire en raffole. Un peu grisée, elle se laisse mener par sa curiosité.

— Ce sont tes parents qui t'ont légué ton entreprise ?

Simon s'esclaffe :

— Mes parents ? Sûrement pas. Ça ne te dérange pas si je fume un cigare ?

— Non, pas du tout.

Simon tire son briquet de sa poche et se lance dans le récit de l'arrivée de la famille Colombani sur le port de Marseille, un matin de novembre. La mort dans l'âme et sans le sou, ses parents ont quitté la Corse. Son père a trouvé tout de suite du travail sur les docks et sa mère est devenue la bonne d'un notaire du cours Puget. Elle n'était pas malheureuse, la femme du notaire la traitait bien et elle adorait Simon. À chaque anniversaire, elle lui offrait des boîtes de Lego et, sans le savoir, plantait les graines de sa réussite.

Ses parents ont tout fait pour qu'il fasse des études mais il n'aimait pas l'école. Dès que son père avait le dos tourné, il traînait sur le port, faisait la course avec les tonneaux sur les pavés et quand il n'avait plus de jambes, il s'asseyait dans un coin pour regarder les ballots danser au-dessus de sa tête.

À dix-neuf ans, il a lâché une belle place chez

un armateur local pour se lancer dans la bataille du chargement à quai. C'était l'époque où la manutention diminuait au profit du conteneur. Il a senti avant les autres le basculement du commerce mondial vers l'Asie et a été le premier à vendre ces briques qu'on empile sur les navires comme un jeu d'enfant. En dix ans, sa fortune était faite.

Levant son verre sous les yeux brillants de Claire, il chantonne :

— « Heureux comme un roi, heureux grâce à toi, heureux, mon amour, de t'avoir chaque nuit, chaque jour. »

Elle trempe ses lèvres et lui demande :

— Tu n'as jamais pensé à faire carrière dans la musique ?

— Tu te doutes bien que mes parents n'avaient pas les moyens de me payer des cours, mais c'est la vie, je ne me plains pas. J'ai des idées, je vais prendre des parts dans un cabaret-restaurant à Marseille, une salle à l'ancienne, avec un orchestre, un beau décor, des costumes. Les gens aiment ça, tu sais, les choses simples, on s'est perdu avec tous ces gadgets.

Claire enroule une mèche de cheveux autour de ses doigts et pose la question qui la démange depuis un moment.

— Pourquoi tu as poussé mon jeton sur le onze, à la roulette ?

— Ah.

Simon tire une bouffée et heurte la table basse avec son verre.

— Je ne joue jamais le 12, je ne signe rien le 12.

Elle rit.

— Tu es superstitieux ?

— Si on veut.

La fumée du cigare s'épaissit comme un gros cumulus au-dessus de leur tête. Simon dit d'une voix rauque :

— Ma mère est morte le 12 décembre 1992.

Claire est sous le choc. L'homme taillé dans le roc, l'homme dont elle admire la stature vient de se briser sous ses yeux. Elle s'approche, pose ses mains sur sa barbe naissante et il en profite pour l'attraper par la taille. Elle ne résiste pas. Pas plus quand il la soulève et qu'il ouvre la porte de la chambre d'un grand coup de pied. Sa robe de couturier tombe sur ses hanches. Renversée sur le lit, elle balance ses derniers scrupules par-dessus bord et ne songe plus qu'à lécher pour cicatriser la blessure.

Après quelques minutes, le plafond commence à tourner, elle a trop bu, elle n'a pas l'habitude. Le spectre d'Arnaud surgit dans un coin. Affolée, elle ferme les yeux et tangue sous le torse qui la frôle en cadence. Quand elle fait mine de s'échapper, les mains de Simon resserrent leur étreinte. Haletante, elle sent des larmes monter et ne comprend pas ce qui lui arrive. Elle a trente-sept ans, elle a joui et c'était la première fois.

Pour la promenade, les Bourdon avaient le choix entre l'écomusée et l'église avec ses authentiques carreaux provençaux. Suivant le conseil de l'employée de l'office de tourisme, Virginie a choisi l'église, après tout, c'est dimanche.

Un gilet noir ficelé autour de la taille, elle ouvre la marche sur le sentier du littoral. Les brindilles craquent sous ses semelles comme des allumettes prêtes à s'enflammer. Elle signale à voix haute les obstacles, les silex, les ronces invasives. Vincent ferme la marche et porte le sac bourré de nourriture et de boissons vitaminées.

Virginie fait une pause et sort le plan de sa poche. D'après ses calculs, ils ne sont plus très loin. Vincent en profite pour chercher de l'ombre et se désaltérer pendant qu'elle admire le spectacle des vagues qui se fracassent en contrebas.

Tenant la main de Chloé, elle dit :

— C'est beau, hein ?

La petite relève les bords de son chapeau et bougonne :

— J'ai trop chaud et j'ai des bêtes qui viennent sur mes bras.

Sa mère fait les gros yeux derrière ses lunettes de soleil :

— Tu n'es jamais contente. Regarde ta sœur, elle ne dit rien, elle.

Léa jubile. Chloé court vers son père qui s'essuie le front.

— Tu me montes sur tes épaules ?

— Tu vois pas que j'ai le sac ?

Il se retourne et s'écrie :

— Tu es sûre que c'est par là ? Il n'y a pas de panneau.

Virginie répond :

— Je fais ce qui est marqué.

Et ils repartent sans croiser âme qui vive. Vincent est affaibli par la chaleur, il pense à l'enfer vécu par les résistants enrôlés dans le maquis. La noblesse de la cause les a sans doute aidés, défendre son territoire, c'est quand même autre chose que de marcher comme un con pour visiter le musée de la foudre, manger une pomme et rentrer. Il a horreur de ces randonnées dominicales mais c'était le prix à payer pour avoir la paix. Virginie se doute de quelque chose, elle est constamment sur ses talons et les filles voulaient absolument faire ce pique-nique, même si maintenant Chloé se verrait bien dans la piscine avec sa bouée Pluto.

— C'est là.

À la lisière d'un terrain en friche, Virginie reconnaît la bâtisse en pierre sèche. La photo ne montrait pas les nombreux étais qui la maintiennent debout.

Vincent balance le sac au pied du talus et tire sur

son tee-shirt collé à son dos comme un sparadrap. Il est perplexe.

— C'est ça, ton église ? Elle a l'air mal en point.

— C'est l'intérieur qu'il faut voir. Ils écrivent : « D'authentiques carreaux provençaux admirablement conservés. »

Les filles se chamaillent devant la porte délavée par le soleil. Elles tirent sur le cadenas et la chaîne piquée de rouille sans succès. Chloé revient et dit, le souffle coupé.

— C'est fermé et il y a un gros cadenas.

Virginie relit le dépliant.

— C'est pas possible, ils disent que c'est ouvert tous les jours du 15 juin au 30 septembre.

Vincent retient d'extrême justesse le mot interdit qui lui vient aux lèvres. Les fesses posées sur l'herbe piquante, il laisse à sa femme le soin de trouver une solution.

Chloé s'approche de lui et minaude :

— Dis, on va à la piscine ?

— Encore ? Tu voulais faire un pique-nique, on y est.

Elle grimace et court vers sa mère et sa sœur qui cherchent désespérément un accès.

Virginie crie en chemin :

— Ça, ils vont m'entendre à l'office du tourisme, je ne vais pas les louper !

Vincent soupire.

— Bon, on fait quoi ?

— Je ne sais pas, moi, on cherche un coin sympa et on mange.

Virginie est trop occupée à digérer sa déception pour remarquer la guêpe qui virevolte autour d'elle. Attirée par le parfum d'Immortelle de sa crème de jour, elle se pose sous son œil. Réprimant son réflexe premier, elle s'immobilise et retient sa respiration. Léa met la main sur la bouche de sa sœur, Vincent s'avance sur la pointe des pieds et fouette son visage avec la visière de sa casquette.

Virginie pousse un cri.

— Elle m'a piquée ! Pourquoi t'as fait ça ?

Penaud, il la prend dans ses bras, elle écrase sa joue contre son épaule et fait un bond en arrière.

— Aïe ! Ça fait mal. La trousse ! Donne-moi le tube dans la trousse.

Il trouve le gel contre les piqûres d'orties, l'aspivenin, l'anti-moustique, le paracétamol, la crème solaire indice 30, tout sauf le corticoïde, resté dans un tiroir à Seichamps.

Palpant sa joue, Virginie s'affole :

— Je gonfle. C'est pas vrai ! Je gonfle.

Chloé et Léa sont apeurées. Le visage de leur mère est en train de se transformer comme dans un film d'épouvante. Vincent a beau dédramatiser, elle se met à sangloter. Il ne supporte pas de la voir pleurer.

— Je ne voulais pas te faire mal, ma Ninie. Tu comprends ?

— Peut-être, mais regarde le résultat.

— Bon. Allez les filles, demi-tour ! On rentre.

Il ramasse les affaires éparpillées, hisse le sac sur ses épaules et prend la tête du cortège. Le retour semble plus facile, la poussée de stress les a immunisés contre la faim et la chaleur de midi. À une centaine de mètres du parking, ils rencontrent des promeneurs qui cherchent la direction de l'église. Virginie se cache derrière Vincent qui explique qu'elle est fermée. Ils rétorquent qu'à l'office du tourisme on leur a dit que c'était ouvert. C'est pas grave, ils vont continuer, maintenant qu'ils sont là. Virginie resserre son gilet sur ses hanches et baisse la tête en les croisant.

Elle touche son visage en se souvenant des voix aiguës des collégiens qui l'appelaient « patate ! » dans la cour. En voyant son nez, les gens ne diront rien, mais ils penseront la même chose.

À peine montée dans la voiture, elle déplie le pare-soleil.

— Je suis défigurée. Regarde, je suis défigurée.

Vincent relativise :

— T'inquiète pas, Ninie, ça va dégonfler. Le pharmacien va te donner un cachet et dans deux jours on n'en parlera plus.

— Quelle pharmacie ? On est dimanche.

— Il y a une pharmacie de garde, t'en fais pas.

Léa lui arrache un sourire en disant qu'elle est belle quand même et Chloé l'embrasse sur l'autre joue, celle qui ne fait pas mal.

Vincent attache sa ceinture et lance en desserrant le frein à main :

— On va acheter tes médicaments, après on commandera des pizzas quatre fromages et je ferai la vaisselle. Dans l'ordre. Les verres, les assiettes et les couverts. C'est bien comme ça ?

— Trois couches. Plus le vernis.

— C'est trop long.

— Je vous prête la Giulietta.

— Je ne veux pas la Giulietta, je veux la mienne.

— La vôtre, c'est trois jours. Minimum.

— On ne peut pas aller plus vite ?

Les bras croisés sur sa blouse impeccable, le chef d'atelier montre du doigt un employé qui court vers la cabine de peinture.

— Vous voyez ? On ne chôme pas. Alors ? Qu'est-ce qu'on fait ?

— D'accord. Et c'est quoi, la Giulietta ?

Un apprenti gare devant la porte du bureau le véhicule de courtoisie spécialement conçu pour les clients de Maserati, un véhicule doté d'une motorisation et d'une finition propres à satisfaire leur niveau d'exigence. Simon échange à regret ses clés et ses papiers et abrège les explications du jeune homme concernant la boîte de vitesses et les commandes du tableau de bord. Il attache sa ceinture et file en direction du port autonome de Marseille.

Il est déjà loin quand il s'aperçoit que ses disques sont restés chez le concessionnaire. Il songe à faire demi-tour mais renonce, il passera ses nerfs en doublant les camping-cars qui pullulent à cette saison.

À la sortie est du bassin, il ouvre à distance la barrière du parking de SeaContainer. Un utilitaire est garé sur son emplacement réservé, l'endroit est pratiquement désert mais il a fallu qu'il se mette là. Abandonnant la Giulietta entre deux places, il explose en découvrant le nom de l'entreprise inscrit sur les portières.

— Fatche de con !

Il s'élance vers le hall. La standardiste ramollie par la chaleur se redresse aussitôt en le voyant.

— Bonjour, monsieur Colombani. Vous n'êtes pas en vacances ?

— Si, si. Je passe seulement.

— Vous avez vu ? La clim est encore en panne.

— Oui. J'ai vu.

Pressé d'en découdre, il prend l'ascenseur jusqu'au dernier étage, où son bureau domine les terminaux maritimes.

Dans le couloir, son assistante est sur le point de partir.

— Monsieur Colombani ? Vous n'êtes pas en vacances ?

— J'avais une bricole à faire à Marseille.

À peine surprise, elle fait demi-tour et trotte derrière lui. Simon a le chic pour débarquer quand on ne l'attend pas et en profite toujours pour administrer quelques électrochocs à ceux qu'il juge trop relâchés.

— C'est curieux, je n'ai pas entendu votre voiture.

— Elle est au garage et il y en a une à ma place que j'aurais préféré ne pas revoir.

— Ah oui, le réparateur.

Il accroche sa veste et remonte les manches de sa chemise.

— C'est un vrai four ici.

— J'ai laissé les stores baissés, mais ça plombe dehors.

— Autrement, Séverine, rien de spécial ?

— Non. J'ai mis le parapheur sur votre bureau. Vous avez encore besoin de moi, monsieur ?

— Non, merci, vous pouvez y aller.

Elle reprend son sac et marque une pause devant la porte.

— Ah si, j'ai oublié, il y a un dossier urgent, je l'ai mis là, à côté de la pile.

Elle ajoute à voix basse :

— Il arrive.

Dans son élan, Simon manque de renverser le portemanteau. Il se précipite dans le couloir.

Simon pointe son index vers le visage rond et transpirant du réparateur qui comprend qu'il n'ira pas plus loin :

— Est-ce que cette clim va marcher plus de trois semaines, oui ou non ?

Embarrassé, le technicien s'essuie le front et répond :

— C'est cette marque, on l'a arrêtée, il y avait trop de problèmes de SAV.

— Vous êtes en train de dire que cette installation va me faire des cagades tout l'été ?

— En l'espèce, oui.

Simon est rouge de colère :

— Demain, j'appelle votre commercial et je règle ça avec lui.

— Pour l'instant, en l'espèce, ça remarche.

— C'est ça, pour l'instant.

Sa combinaison de travail auréolée de sueur, le climaticien file vers l'ascenseur. Simon part dans la direction opposée et jette un œil au parapheur avant d'emporter quelques dossiers. Il éteint la lumière et se ravise. Il remonte le store et admire la vue comme un seigneur contemple l'étendue de ses terres. Fidèle à une habitude héritée de son père, il prend ses jumelles et déchiffre le nom des bateaux où sont chargés les conteneurs, *La Sainte-Baume*, *La Finistérienne*. Rêveur, il repose les jumelles sur leur étui et fait défiler le répertoire de son téléphone jusqu'à la lettre C.

— Allô ? Oui, c'est Simon. Tu fais quelque chose ce soir ?... Tu viens chez moi ?... Il te faut deux petites heures.

Il plie bagage en sifflotant dans le couloir. À l'entrée, la standardiste remarque son changement d'humeur, Simon est comme la Méditerranée : imprévisible.

Il monte dans sa voiture et allume l'autoradio réglé sur Radio Classique, ça tombe bien. En chemin, il double à droite, à gauche, klaxonne avec une franche hostilité. Au Prado, il fait crisser les pneus dans les lacets jusqu'à la résidence du Carré d'Or, où il vit avec sa femme depuis vingt-cinq ans. Ça fait dix ans qu'elle le harcèle pour déménager à Aix, mais Aix, c'est le Nord !

Pas mécontent de retrouver la fraîcheur de son

penthouse, il jette ses clés dans une coupe en cristal et enclenche le répondeur. La machine ne dit rien. Il appuie sur tous les boutons. Ça veut clignoter ? Eh bien, que ça clignote.

Il vérifie le contenu de la cave à champagne, le préféré de Claire est au frais. Il a pour règle de ne jamais faire venir une femme chez lui, mais pour cette fois, il fera une exception. Guilleret, il ouvre le réfrigérateur et compte les bocaux de foie gras. Simon est un grand amateur depuis que sa belle-famille originaire du Gers l'a converti à la bonne chère.

Pieds nus dans ses mocassins, il enfile une chemise propre et s'asperge de parfum. Pour créer une petite ambiance, il choisit *Vive les opérettes*, volume 1, et insère le disque dans le système haute fidélité avec une légère appréhension. Depuis la fois où il a passé tout un week-end entier à essayer de mettre en route la platine, il regarde tous ces boutons avec une grande suspicion.

Ça fonctionne. Il pousse le volume sans se soucier du voisinage, car les trois appartements du dessous lui appartiennent, il les loue à vil prix à des retraités des docks, sourds comme des pots. Il aurait souhaité que son père y habite, mais il a préféré le confort rustique d'une bergerie à Sotta.

Le téléphone chante dans l'entrée. Simon l'attrape juste avant la dernière sonnerie.

— Mais pourquoi ?... C'est ton mari qui te fait des misères ?... Erwan a vomi ? Ça, le minot, c'est autre chose, faut pas rigoler avec ça. Je t'embrasse. Oui. Partout. On se voit quand ?

« Changez de vie », c'est la couverture choisie par la rédaction d'un hebdomadaire réputé conservateur, le dossier idéal pour tracer dans le sable les plans d'un futur bonheur à la campagne, avec une cheminée, les légumes du jardin, les enfants qui courent après les poules. « Changez de vie », c'est le jour où les ingénieurs se font ébénistes, les financiers, paysagistes mais pour la plupart d'entre nous, c'est un peu comme aller en Norvège, on y pense et on ne le fait pas.

Le feu passe au vert et le panneau publicitaire disparaît du champ de vision de Claire. Arnaud s'engage sur la route étroite qui longe la colline et met son clignotant avant de rejoindre le parking bondé de Riva Bella. Depuis qu'ils ont quitté les étals du marché, ils n'ont pas échangé un mot. Claire attend qu'Erwan sorte de la voiture et dit :

— Il faut qu'on parle.

Arnaud met un pied dehors.

— Reste là. Je veux qu'on parle. Maintenant.

— De quoi ?

— De nous.

Arnaud s'échappe et fait le tour de la voiture. Claire saute de son siège et pose sa main sur le hayon pour l'empêcher d'ouvrir. Elle scrute les alentours pour s'assurer qu'Erwan n'est pas là et parle à voix basse.

— J'ai besoin d'air, j'étouffe.

Arnaud la regarde comme si elle parlait une langue étrangère. Il dit :

— Enlève ta main que je sorte les courses.

Claire obéit et prend ce ton réservé aux enfants dont on suppose qu'ils ne comprennent rien aux problèmes des adultes, un mélange subtil de précaution et de fermeté.

— Je veux qu'on se décolle. Tu comprends ?

— Comment ça, qu'on se décolle ?

— Tu vois bien ce que je veux dire ?

Non, Arnaud ne voit pas, pas du tout même, pour se décoller, il faudrait déjà être collés et c'est exactement le contraire qui se passe. Dès qu'il s'approche, elle le repousse. Non, décidément, il ne voit pas.

— Tu es allée voir ta collègue à Sainte-Maxime sans moi, tu as même dormi chez elle.

Le visage de Claire se crispe, elle pensait s'en tirer plus facilement. Il réfute ses arguments un à un et l'oblige à utiliser la manière forte.

— Peu importe, je veux faire un break.

— Un break ?

— Oui, un break.

Arnaud se liquéfie et laisse tomber ses sacs. Une pomme roule jusqu'au pied de l'escalier. À quelques mètres de là, Erwan les attend, caché derrière un buisson, il va leur jouer un tour. La voix de son père lui parvient à travers les branches.

— Qu'est-ce que tu veux dire, « un break » ?

— Tu vois bien que ça ne va pas depuis quelque temps.

— C'est toi qui dis ça, moi je viens d'acheter les tickets pour la promenade à Monaco. Je voulais te faire la surprise.

Claire descend les marches et s'interdit de penser à la soirée mémorable passée dans les bras de Simon. Erwan les écoute et n'a plus du tout envie de les surprendre, il reste les genoux plantés dans la terre.

— Quel jour ?

— Après-demain.

Arnaud soulève ses sacs. Claire le suit, les yeux baissés. Il entre le premier dans l'appartement et n'ose pas se retourner, il est comme un rat de laboratoire qui redoute une nouvelle décharge. Ça n'est pas vrai, on ne quitte pas quelqu'un après quatorze ans de mariage comme on coupe le moteur d'une voiture, non ?

Il lui barre le passage et fait une dernière tentative :

— Si on allait manger une glace ce soir ?

Elle attrape sa serviette de plage et le regarde comme un entomologiste une espèce inconnue. Le déni, c'est sa seule arme, il l'utilisera jusqu'à la dernière cartouche.

— Tu vas où ?

— À la piscine. Faire des longueurs.

— Maintenant ?

Quand il pose la question, elle passe déjà devant la terrasse de ses voisins occupés à mettre le couvert. Elle les salue sans s'arrêter, juste le temps de remarquer quelque chose de changé dans le visage de Virginie. Vincent essaie de la retenir :

— Vous allez à la soirée barbecue, demain ?

— Non, je ne crois pas.

Elle répond tout en marchant et il la regarde s'éloigner, attendri comme un chasseur devant une biche sautillante à l'orée d'un bois. Virginie est mortifiée. C'est certain qu'avec son petit 36 la voisine est plus intéressante. Elle lui a demandé ce qu'ils s'étaient raconté pendant qu'elle se noyait sous les yeux de ses filles. Bien sûr, il ne se souvenait pas, rien d'intéressant, le boulot, les enfants. N'empêche que, depuis qu'ils sont arrivés, son comportement a changé, tous les prétextes sont bons pour s'isoler.

Elle caresse son visage tartiné de fond de teint pour masquer la rougeur et désigne le cendrier :

— Alors ? Tu arrêtes quand ?

— Je ralentis. J'en suis à huit par jour et laisse ta joue tranquille, Ninie, on ne voit rien.

— Si, moi, je le vois.

— Tu veux un verre de rosé ?

— Non, pas ce soir.

Vincent repose le sien en disant :

— On pourrait inviter les voisins un de ces soirs ? Ils sont sympas.

Virginie triture le paquet et renifle l'odeur caractéristique du tabac frais. Elle avait commencé à fumer en classe de seconde dans l'espoir de gagner quelques points de popularité auprès des garçons de sa classe à qui elle distribuait ses cigarettes sans compter. Elle se demande pourquoi Vincent tient tant à inviter des gens qu'ils connaissent à peine, sinon pour se rapprocher de la voisine ?

Une cigarette se cale entre ses doigts exactement là où la dernière s'était éteinte sept ans plus tôt. Elle la porte à ses lèvres, l'allume et crache la fumée en disant :

— Finalement, je vais prendre un verre.

Vincent se lève aussitôt pour la servir et demande avec un sourire de Normand :

— Tu refumes ?

Elle répond :

— Non.

Fuyant comme la peste les miroirs du rayon produits de beauté, Virginie aperçoit, malgré elle, une légère rougeur sur sa joue. Aussitôt, elle pivote à cent quatre-vingts degrés et retourne vers les fournitures scolaires à l'entrée du magasin. À cette saison, l'hypermarché est un labyrinthe peuplé de vacanciers qui se cognent aux bacs à promotions et aux montagnes de palettes. De guerre lasse, elle abandonne son caddie en tête de gondole et va chercher deux paquets de copies doubles.

Léa demande :

— Pourquoi tu prends des feuilles ?

— Pour te faire parler.

Chloé la tire par la manche et réclame pour la centième fois des Chocopops. Virginie accepte « parce que c'est les vacances ». Elle s'arrête en route pour profiter d'une promotion sur les dosettes parce que, mine de rien, le café, c'est un budget. Une fois la liste de courses entièrement rayée, elle sort son téléphone dans la file de la caisse numéro 4 et appelle son mari.

— T'es où ?

Vincent profite de la connexion wi-fi à l'entrée du magasin et répond :

— Je fais la queue pour passer au lavage.

— T'es allé sur le Facebook de mes parents ?

Il se frappe le front.

— Je vais le faire. Je raccroche et je regarde.

Adossé contre une vitre de la cafétéria, il fixe l'écran du portable qui lui brûle les cuisses. Il vient de parier l'or à la hausse sur OptionBin.com. Le compteur est passé sous la barre des deux minutes. Il allume une cigarette et double la mise. Depuis la veille, il enchaîne les bons coups. Jeanne avait raison, il suffisait d'être patient.

Crachant la fumée comme un dragon, il ferme les yeux, compte sur ses doigts et pousse un cri de victoire en les ouvrant. Un vieux couple accroché à son caddie passe devant lui et le regarde avec une stupeur polie.

L'ordinateur sous le bras, il court vers la voiture. À ce rythme-là, il pourra bientôt s'offrir une belle italienne comme celle qui est garée juste à côté. Le propriétaire se glisse avec aisance sur le siège en cuir, il porte des lunettes noires et une casquette américaine. Vincent lui demanderait bien la recette pour rouler à deux cents à l'heure et ne plus être condamné à vivre le long de la bande d'arrêt d'urgence. Pensif, il balance son mégot sous le châssis de la 307 et cherche son paquet de bonbons à la menthe. « Merde ! Le chien. »

Il retourne à l'entrée de l'hypermarché et télécharge les dernières photos publiées par ses beaux-parents. Sur une d'elles, Hercule est posé en équilibre sur la balançoire et sa langue pend comme un collant suspendu à l'étendoir. Il poste en retour quelques images de la famille quand le tintement d'une clochette signale l'arrivée d'un message. Un message de Mickaël, le seul collègue avec qui il partage autre chose qu'un nom sur un planning. Alléché par l'objet : « La vendeuse de chez Vogica est très convaincante », il clique sur le diaporama. Une femme à moitié nue ouvre des placards de cuisine et se penche au-dessus des tiroirs sous l'œil fébrile d'un client. Sur la dernière diapositive, elle fait la vaisselle dans une position inattendue. Sacré Mickaël !

Le téléphone sonne dans sa poche.

— Tu fais quoi ? Ça fait dix minutes qu'on t'attend devant la statue.

— J'arrive.

Virginie remonte son sac sur l'épaule et s'inquiète :

— Tu as vu la page de mes parents ?

— Oui, il y a trois photos d'Hercule.

Il entend les filles crier de joie à travers le haut-parleur.

— Il va bien ?

— Oui. Il a peut-être un peu maigri.

— Maigri ?

— Oui, enfin, non, c'est juste une impression.

Vincent se faufile dans la porte à tambour et ralentit devant un magasin de sport où sont alignées des casquettes de base-ball.

— C'est bon, Ninie, il est chez tes parents. Tout va bien.

— Qu'est-ce que tu en sais ? Tu crois que les animaux ne souffrent pas, tu crois qu'ils n'ont pas de sensibilité ?

Il prend une grande inspiration et pense au « cahier de colère ». À quelques mètres de lui, sa femme tourne autour de la statue de l'*Homme poussant son caddie avec un enfant*, sourde au commentaire des retraités assis sur leur banc.

— Ça, à tous les coups, c'est le mari qui se fait engueuler.

38,7. C'est la troisième fois qu'Arnaud secoue le thermomètre et reprend la température. Erwan fixe une toile d'araignée au plafond de la chambre et refuse tout en bloc, le gant d'eau froide, ses jeux, ses bandes dessinées. Il demande à son père :

— Elle est où, maman ?

— Elle arrive, elle est avec une copine. Elle arrive.

Arnaud ne sait plus quoi faire. Ses bras sont tartinés de crème pour l'empêcher de se gratter, mais l'envie est plus forte.

— Je reviens dans deux minutes.

Arnaud sort de la chambre et rejoint la terrasse. Tout est calme autour de lui, c'est l'heure où les lézards font leur sieste verticale sur les crépis. Il laisse un message sur le répondeur de sa femme, le sixième, et tente de se rassurer. Peut-être qu'il dramatise, Claire lui reproche souvent de « faire tout un plat de pas grand-chose ». D'un autre côté, elle ne fait jamais ça. Comment savoir s'il lui est arrivé quelque chose ?

Il fait les cent pas et tombe sur son voisin qui fixe l'horizon comme quelqu'un qui sent venir l'ennui. Des bruits d'animaux se joignent à leur conversation. Vincent met ses mains dans les poches et dit :

— Ça, c'est le cochon qui chante.

— Le cochon qui chante ?

— C'est une méthode de solfège. Virginie veut que les filles apprennent la musique. Il fait de la musique, le vôtre ?

— Non.

— Vous avez l'air stressé, ça se passe bien, ces vacances ?

— Oui, c'est ma femme, elle devait rentrer à midi et elle n'est toujours pas là, son téléphone est éteint, je ferais bien un saut à Sainte-Maxime mais je ne peux pas laisser mon fils tout seul, il a de la fièvre, en plus elle est partie avec la voiture et.

Vincent s'écrie en direction de l'appartement :

— Le petit du voisin est malade, il peut te l'amener ?

Virginie appuie sur le bouton « pause » du lecteur CD et le fait répéter. Elle prépare l'entrée en classe de piano de Chloé. La petite montre des prédispositions certaines pour la musique, son rêve va enfin se réaliser, un piano blanc laqué, les valses de Chopin, une note de romantisme dans son salon.

Cette fois, elle a compris. Erwan est malade et on ne laisse pas un enfant malade sans attention. Elle débranche l'appareil, range le livret d'accompagnement et envoie Chloé rejoindre sa sœur qui regarde un dessin animé à l'étage.

Elle passe un rapide coup d'éponge sur la table et interroge son mari :

— Qu'est-ce qu'il a au juste ?

— Je ne sais pas. Il a de la fièvre.

— Sa mère n'est pas là ?

— Non, je t'expliquerai. Tais-toi, ils arrivent.

Erwan débarque en pyjama, les joues rougies et les cheveux ébouriffés. Virginie pose sa main sur son front et déclare en connaisseuse des maladies infantiles :

— 38,5 ?

— 38,7.

— Allongez-le sur le canapé. Vous lui avez donné du Doliprane ? J'en ai, si vous voulez.

— Je lui en ai donné un, il y a une heure. C'est sûrement la glace, il a mangé trop de glace ce midi. Quoique, je ne sais pas, il a déjà vomi il y a trois jours.

Virginie se penche vers le garçon et lui parle avec douceur, comme pour ne pas le réveiller :

— Tu as mal au ventre ?

— Un peu.

— Tu n'as pas mal ailleurs ?

— La tête, un peu.

— Ça n'a pas l'air bien grave, Léa m'a fait quelques fièvres de ce genre-là, ça retombe, on ne sait pas comment.

Elle marque une pause et demande :

— Votre femme n'est pas là ?

— Non, elle devait rentrer pour déjeuner, elle est chez une copine, je vais aller voir ce qui se passe. Vous êtes sûre que ça ne vous dérange pas de le garder ?

— Pas du tout. Faites ce que vous avez à faire, je m'en occupe.

Vincent tend ses clés de voiture à Arnaud.

— La troisième craque un peu. Je n'ai pas fait réparer, on va la changer à la rentrée.

Virginie scrute les faits et gestes de son mari. Comme par hasard, il y a une histoire avec la voisine et c'est chez eux qu'on sonne. Il a peut-être mis au point ce stratagème avec elle pour détourner les soupçons ? Elle disparaît alors qu'il est là, en famille, le parfait alibi. Reste un détail, la fièvre. Comment auraient-ils pu savoir qu'Erwan allait avoir de la fièvre aujourd'hui ? Bon, il faut qu'elle arrête de penser à ça, sinon elle va se venger sur le chocolat ou, pire, allumer une cigarette.

Arnaud griffonne un numéro sur un bout de papier et embrasse son fils avant de partir.

— Je vous laisse mon portable, au cas où.

Virginie l'assure qu'ils n'en auront pas besoin et approche une chaise du canapé :

— Alors ? Il va comment, ce ventre ?

— Ça fait mal.

— Mal comment ?

— Je sais pas.

Elle se lève et va chercher dans sa trousse de pharmacie un gel rose bonbon. Vincent ébouriffe la chevelure humide du garçon.

— C'est rien, bonhomme. Ce soir, on n'en parlera plus et on ira à la piscine tous ensemble.

Virginie revient dans la pièce et le contredit :

— De l'eau froide sur des maux de ventre ? Certainement pas.

Laissant les médecins se disputer sur son cas, Erwan avale la cuillère de gel et demande, les lèvres colorées :

— Ça veut dire quoi, « faire un break » ?

Virginie et Vincent se regardent. C'est elle qui répond :

— Pourquoi tu demandes ça ?

— Ma mère, elle dit qu'elle veut « faire un break ».

Vincent laisse parler sa femme, convaincu qu'elle se débrouillera mieux que lui.

— Eh bien, ça veut dire qu'elle est fatiguée. Tu sais, les mamans travaillent beaucoup, alors elles ont besoin de vacances, elles doivent se reposer, c'est ça, « faire un break », tu vois ?

— Oui, mais elle n'est plus jamais là l'après-midi et je suis tout seul avec papa. Un jour, elle ne va plus rentrer.

De grosses larmes glissent sur les joues brûlantes d'Erwan. Virginie est mortifiée mais n'en montre rien.

— Il ne faut pas penser des choses comme ça, elle ne va pas t'abandonner, ta maman, elle t'aime, toutes les mamans aiment leurs enfants.

Elle va chercher des mouchoirs pendant que son mari tire un paquet de biscuits de sa cachette. Les Pepito sont à Vincent ce que le thé est à l'Angleterre : un remède universel. Il en propose un à Erwan, Virginie refuse tout en salivant. Le téléphone sonne. Elle se jette dessus.

— Ah, c'est vous. Vous l'avez trouvée ?

Arnaud est au pied d'un immeuble fraîchement sorti de terre. Il parle tout en cherchant le nom sur l'interphone.

— Pas encore, je viens d'arriver. Erwan, ça va ?

— Oui, ça va. Pas de souci.

— Je fais vite.

Soulagé, il marche vers le portail sécurisé et se félicite d'avoir insisté pour obtenir l'adresse de la collègue de Claire. Il a trouvé le nom. C'est bien là. Il presse le bouton et une voix féminine lui répond :

— Oui ? Qui est-ce ?

— Bonjour, c'est Arnaud Laforêt, le mari de Claire. On s'est vus l'an dernier à l'arbre de Noël.

— Oui, je me rappelle.

— Je voulais savoir si Claire était encore chez vous, parce qu'elle n'est pas rentrée et je n'arrive pas à la joindre sur son téléphone.

— Claire ? Non, elle n'est pas là. Justement, je pensais l'appeler, mais on vient d'arriver. Elle va bien, sinon ?

L'eau s'infiltre dans ses lunettes de piscine mais Claire s'en moque. Quatre-vingt-deux longueurs pour la deuxième fois aujourd'hui. Ces allers-retours sont le seul moyen qu'elle a trouvé pour tenter de faire pencher la balance d'un côté ou de l'autre. Des mois qu'elle tergiverse. Divorcer ? Ne pas divorcer ?

L'histoire se répète. Arnaud avait attendu deux ans avant qu'elle accepte sa demande en mariage. Il y avait toujours une excellente raison pour reporter, après tout on pouvait attendre, on avait la vie devant soi. Dès qu'elle s'apprêtait à sauter le pas, une petite lumière s'allumait et signalait un danger, si sa sœur ne l'avait pas harcelée, elle n'aurait peut-être jamais décidé. Élise, de trois ans son aînée et son exact opposé, l'avait convaincue, du moins en apparence. En montant les marches de la mairie, Claire s'était préparée au pire, à la fin inévitable. Dans sa robe blanche, elle avait affolé l'assistance en laissant flotter une longue minute de silence avant de répondre « oui » et de glisser sa main dans celle d'Arnaud moite comme une éponge. En coupant la pièce montée, elle s'était sentie l'égale de sa sœur qui avait obéi à la tradition quelques années plus tôt dans la même salle des fêtes.

Aujourd'hui, une chose est sûre, elle ne veut surtout

pas lui ressembler. Trop parfaite pour être vraie, l'union d'Élise et Antoine, pas d'accroc, pas de raccommodage, même les disputes sont calibrées, une par mois, car sans dispute, un couple n'est pas un couple. Claire n'est pas loin de penser que sa sœur choisit le sujet pour être sûre de garder l'avantage. Les défauts du conjoint doivent être admis dans une certaine mesure, ne pas les tolérer est une preuve d'immaturité, ce qu'Élise lui reproche régulièrement au travers de cette formule : « Il serait temps de grandir. »

Claire a, au contraire, le sentiment d'avoir grandi trop vite. Et trop tôt. Elle a pris dix ans en un jour, le jour où son père leur a annoncé dans la cuisine un dimanche après les devoirs qu'il partait vivre ailleurs, mais que ce n'était pas grave, parce que c'était à cinq minutes d'ici. Cinq minutes, ce n'était pas grand-chose. Sa mère s'était empressée d'ajouter qu'ils n'étaient pas en mauvais termes et que leur père viendrait les voir quand il voudrait.

Pour le bien des filles, ils avaient attendu que l'aînée ait son bac et la cadette, ses quinze ans. Ils avaient triché, toutes ces années ils avaient joué la comédie de la famille unie alors que son père voyait quelqu'un d'autre. Claire s'était sentie trahie. Elle en voulait à sa mère d'être complice (aujourd'hui elle sait qu'elle faisait le calcul qu'il se lasserait de sa maîtresse et reviendrait à la maison). Après la réunion familiale, sa sœur s'était enfermée dans sa chambre pour pleurer et Claire avait ruminé sa colère. Non seulement ses parents lui donnaient une gifle mais en plus, ils lui demandaient sa bénédiction.

Frappant le bassin du plat de la main, elle s'élance

et n'en finit pas de peser sa décision, comme une épicière. Si elle divorce, elle le sait, elle devra assumer le rôle de la méchante. Mais, n'est-ce pas le rôle qu'on lui attribue déjà ? Sa mère et sa sœur n'ont d'yeux que pour Arnaud, Arnaud qui fait la cuisine, les courses, le ménage, qui emmène son fils à la patinoire. Que demander de plus ? Combien de femmes rêveraient d'un mari comme lui ? D'accord, mais il se repose sur elle pour toutes les choses importantes, il est marié avec son appareil photo et ne sait rien faire dans un lit.

Quoi qu'elle dise, elle aura tort. Malgré la culpabilité et l'ennui, elle n'arrive pas à prendre cette décision que l'évidence impose. Ce serait plus simple si Arnaud prenait l'initiative pour elle, mais ça, il ne faut pas compter dessus. Elle peut l'ignorer, le traiter comme un punching-ball, les coups glissent sur lui comme l'eau sur les plumes d'un canard.

Elle entame une série de crawls. Son corps épuisé lui hurle de partir, de tout balancer, de rejoindre Simon. Avec lui, c'est comme venir au monde une seconde fois. Elle découvre le manque, le frisson, elle se sent vivante. Elle voudrait que cette rencontre soit le précipité qui déclenche l'explosion, mais Simon entretient un certain flou autour de leur relation. Un jour, il donne l'impression de vouloir tout quitter pour elle et un autre, il prend ses distances, l'engage à la prudence. C'est normal, ils se connaissent depuis peu de temps, mais tout est tellement magique entre eux qu'il ne tardera pas à quitter sa femme. Ce sera plus facile pour lui, ses filles sont grandes, elles ont leur vie alors que son fils n'a que sept ans.

Elle s'arrête pour vider l'eau dans ses lunettes et voir plus clair. Erwan, c'est là son plus gros problème. Ça l'a traumatisée d'apprendre que son fils était chez le médecin pendant qu'elle batifolait.

La fièvre d'Erwan était tombée avec le soir mais son regard était culpabilisant, le même que celui qu'elle lançait à son père quand il les emmenait déjeuner avec sa sœur. Les premiers mois après le divorce, ils allaient le dimanche midi dans un grand restaurant de la région, elles avaient le droit de commander tout ce qui leur plaisait. Elise se gavait en racontant ses débuts à l'université, elle, elle picorait dans son assiette, ne supportant pas de les voir s'amuser comme deux amis d'enfance qui se retrouvent après une longue absence. Elle n'avait pas pardonné et blâmait sa sœur pour son apparente légèreté.

Quatre-vingt-deux longueurs. C'est la fin. Elle se laisse dériver sur le dos, les bras en croix, et se souvient. Combien de fois a-t-elle hurlé à Élise qu'elle se trompait, que leur père se foutait de ses histoires de fac et de ses copains, qu'il donnait le change, c'est tout. L'avenir avait tôt fait de lui donner raison. L'été suivant, il les appelait déjà moins et un soir de novembre, alors que sa mère le défendait en disant qu'il était à l'étranger, elle l'avait vu passer en voiture devant la maison. Il ne s'était pas arrêté. Elle s'était accrochée à la poignée de la fenêtre avant de regarder son poster de Manhattan, sa tour Eiffel et son coussin « happy » comme un dernier au revoir. Bien décidée à disparaître.

— Claire !

Virginie crie plus fort :

— Claire !

Claire sort la tête de l'eau et remonte ses lunettes sur son front. Surprise, elle reconnaît sa voisine et s'approche du bord.

Virginie serre son sac de plage contre son ventre et dit :

— Vous m'avez fait peur, j'ai cru que vous vous étiez noyée.

— Non, non. J'allais sortir.

— Bon, alors, ça va.

La piscine est déserte à une demi-heure de la fermeture. Virginie choisit un transat pendant que sa voisine nage jusqu'à l'échelle. Elle lui a fichu une sacrée frousse. Qu'est-ce qu'elle fait là ce soir ? Elle l'a déjà vue faire ses longueurs ce matin en revenant de la plage.

Claire lui sourit avant de franchir le portillon, sa serviette sur les épaules. Virginie l'envie. Elle donnerait tout pour avoir un corps comme celui-là. Si elle était mince elle aussi, tout serait différent, elle serait forcément heureuse, elle ferait tourner les têtes, il suffit de voir comment Vincent regarde Claire quand elle passe devant leur terrasse. Hier encore, il n'a pas pu s'empêcher de faire un commentaire, il sait pourtant que ça la déprime pour le reste de la journée, mais ça lui a échappé.

Maintenant qu'elle est seule, elle peut se découvrir. Juste les bras. Les derniers rayons de soleil viennent réchauffer sa nuque. Dans quelques minutes, le bassin sera recouvert d'une ombre et la fraîcheur s'installera. Elle le sait mais elle ne peut pas se résoudre à venir aux bonnes heures. C'est au-dessus de ses forces, elle a toujours l'impression que les gens vont ricaner en voyant ces bourrelets qu'elle apprivoise à défaut de pouvoir les chasser.

Vincent insiste pour qu'elle l'accompagne, il dit qu'il y a des femmes comme elle l'après-midi. Peut-être, mais combien ? Une ? Deux ? Elle n'a aucune envie de se confronter à leur regard, ça lui rappelle trop celui de sa belle-mère au début de leur relation, ce regard qui disait : « Mon fils, tu es beau garçon, tu ne vas pas passer ta vie avec une grosse alors que tu peux avoir beaucoup mieux. » Virginie avait gagné la partie, elle était habituée à encaisser les coups, à épuiser son adversaire qui finissait par avoir le bras trop court pour l'atteindre. Une lutte à mains nues, qui laissait malgré tout des cicatrices.

Étendue sur sa serviette, elle ouvre *Vivre longtemps et heureux avec la médecine indienne* et le marque-page tombe entre ses cuisses. Elle a laissé la balance à Seichamps mais en se regardant elle sait qu'elle n'a pas perdu un gramme. Ne pas contrôler son poids la rend folle, c'est comme si elle ne contrôlait pas sa vie.

Rien de tel que le discours « Je suis grosse et je suis bien dans ma peau » pour la mettre en boule. Le jour où on lui montrera une célébrité ou une demi-célébrité avec une femme comme elle à son bras, alors elle changera peut-être d'avis. C'est ce qu'elle a expliqué au nutritionniste quand il lui a dit de s'accepter comme elle était, d'accepter ses rondeurs, parce que, aussi, il ne faut pas dire « grosse », il faut dire « ronde », c'est moins stigmatisant. En attendant, ce n'est pas lui qui supporte les remarques de ses collègues qui assurent qu'elle est très bien comme ça alors qu'elles se privent chaque jour pour être sûres de ne jamais lui ressembler.

Chaque geste du quotidien est là pour lui rappeler sa différence. Acheter des vêtements est une torture, Vincent doit l'accompagner pour qu'elle accepte d'essayer quelque chose. Il attend devant la cabine qu'elle entrouvre le rideau pour demander : « Ça me grossit ? », lui : « Non, ça ne te grossit pas, c'est bien », elle : « T'es sûr ? Ça me grossit pas ? », « Non, je te jure. » Une fois sur deux, elle n'est pas convaincue et remet la robe ou le chemisier sur le portant.

Sa pire crainte, c'est que ses filles deviennent comme elle, elle les surveille de près et les abreuve de règles diététiques. C'est Léa qui l'inquiète le plus, la petite, ça va, elle tient de son père.

Elle coince le marque-page sous ses fesses et plonge dans sa lecture. L'auteur explique (en se répétant) que, pour vivre heureux, il faut apprendre à s'aimer tel qu'on est, apprendre à se pardonner. Il a sûrement raison, mais comment faire ? Concrètement ?

Ses parents n'ont jamais cessé de lui dire qu'elle était trop grosse, ils lui interdisaient de se resservir alors que son frère s'empiffrait en la narguant. Elle faisait toujours tout de travers, se constituant une armure de gras pour se protéger de leurs flèches.

Comment Vincent a-t-il pu tomber amoureux d'elle ? Pourquoi il l'a choisie, elle, et pas une autre ? Il ne se passe pas une semaine sans qu'elle lui pose la question. Il la rassure en disant qu'il n'aime pas les anorexiques, qu'il se fout de ce que pensent les autres et de sa famille en particulier, mais ces phrases sont comme des comprimés effervescents, une fois dissous, on ne voit plus rien, il faut recommencer. La honte l'empêche de se déshabiller devant lui. Quand ils font l'amour, elle garde une nuisette et s'allonge sur lui pour cacher son ventre. Parce qu'elle a toujours peur de l'écraser et qu'elle cherche les positions qui l'avantageront, elle ne songe pas à prendre du plaisir et le simule pour plaire à son mari.

Quand il s'endort, comme un homme qui a bu tout son saoul, elle allume la lampe de chevet, soulève le drap et regarde son corps en se demandant comment il peut avoir envie d'elle. Souvent, elle sanglote en songeant au jour où il se réveillera et la verra telle qu'elle est. Ce jour-là, il partira en courant.

Nul n'est censé ignorer l'arrêté du 2 mai 2007 stipulant que sont interdits sur tout le territoire métropolitain et en tout temps le colportage, la mise en vente, la vente, l'achat, l'utilisation ainsi que l'introduction dans le milieu naturel, volontaire, par négligence ou par imprudence, de la *Ludwigia Grandiflora*. Il en faut plus pour dissuader Arnaud d'arracher un échantillon de bouton d'or qui couvre la surface des eaux et fera à coup sûr une excellente « Photo mystère ».

Rejoignant la voiture où l'attendent Claire et Erwan, il cherche le moyen de se faire pardonner l'épisode de Sainte-Maxime. Si Claire lui a menti, c'était pour éviter une dispute supplémentaire devant leur fils, elle n'a fait que se promener et s'il la laissait respirer, comme elle le lui demande, ça ne serait pas arrivé. Il a compris. Ça n'arrivera plus. Promis.

Il pourrait lui offrir un bijou ? La dernière fois qu'il lui a acheté une bague, c'était pour leurs dix ans de mariage. Toquant à la vitre de la portière, il la fait sursauter. Elle range la *Ludwigia Grandiflora* dans la boîte à gants réfrigérée avant de partir à la découverte d'un des « Plus beaux villages de France ». Dans les rues pavées, les maisons aux volets clos sont collées les unes aux autres. Au rez-de-chaussée, des commerçants assis sur la pierre fraîche regardent les touristes marcher au ralenti, avec un brin de condescendance.

Grimpant sous le soleil jusqu'à l'église bâtie à flanc de colline, Claire se sent comme ces adolescents à qui on impose une marche dominicale alors qu'ils rêvent de rejoindre leurs copains pour fumer à l'arrière d'un scooter.

Quelques mètres derrière elle, Arnaud sermonne son fils.

— Une glace ? Peut-être. On verra, je n'ai pas envie que tu sois malade.

Erwan la rattrape et lui prend la main. Arnaud accélère mais son appareil photo accroché en bandoulière lui martèle les côtes. Claire s'arrête devant une vitrine d'objets en bois d'olivier. Sur un meuble ancien sont agencés des saladiers et des ustensiles de cuisine dans un savant désordre. Un plat en forme de haricot retient son attention.

Arnaud s'exclame :

— Il te plaît ? Prends-le.

— Non. Je ne sais pas.

— Viens voir à l'intérieur, il y en a d'autres.

Il pousse la porte de la boutique, s'imaginant qu'elle va le suivre. Quand il s'aperçoit qu'elle a continué son chemin, il court dans la rue et stoppe son élan comme un chien d'arrêt. Il l'appelle, elle se retourne, un clic et elle est dans la boîte, immortalisée.

Les photos qu'il a prises depuis la veille défilent sous ses yeux, Claire devant une haie de roses blanches, Claire alanguie sur un banc, Claire caressant un mur en pierre sèche.

Il continue :

— Celle-là est bien. Là aussi, tu es très bien.

Il insiste pour qu'elle les regarde toutes et elle lui sourit comme à un vendeur à qui on veut gentiment faire comprendre qu'on ne lui achètera rien. Elle ne peut s'empêcher de le comparer à Simon. C'est tout son contraire, Simon se moque d'arrêter le temps, il fonce sans jamais regarder en arrière. Ce trait de caractère devrait lui faire peur et pourtant elle ne s'est jamais autant sentie en sécurité.

Au pied de l'église, elle pose une main sur ses cheveux en fronçant les sourcils. Arnaud le remarque :

— Tu as chaud ? Tu veux boire quelque chose ?

— Oui, mais je vais d'abord aller chercher mon chapeau dans la voiture.

— Tout en bas ? Tu ne veux pas que j'y aille ?

— Non, non, j'y vais et je vous retrouve.

Claire fait demi-tour et dévale la rue le cœur battant. Emportée par la descente, elle peine à trouver son téléphone perdu dans son sac. Simon n'a pas répondu à ses deux derniers messages. Elle regrette l'âge où le supplice du coup de fil se bornait à la pièce où était branché l'appareil. Encore une fois, elle compose le numéro qu'elle connaît par cœur. Enfin, il décroche. Elle dit, essoufflée :

— C'est moi ! Ça va ? Tu ne m'as pas rappelée ?

Elle parle vite, explique qu'elle est avec Arnaud, qu'elle ne peut pas venir à la villa aujourd'hui, son fils a encore été malade, elle est inquiète. Bien sûr qu'elle voudrait être avec lui, elle ne pense qu'à ça depuis deux jours mais pourquoi il ne l'a pas rappelée ?

Un verre à la main, Simon pousse du pied le tuyau de l'aspirateur qui se promène au fond de la piscine. Il vient de rentrer, il était au golf et il a laissé son portable en mode silencieux. C'est dommage, il s'attendait à ce qu'elle passe, l'eau est à 27, le champagne à 12 degrés et il a acheté tout exprès pour elle une boîte de macarons pistache, fraise et citron vert.

Claire piétine le gravier. Sa voiture est là, à dix mètres, il suffit de monter, de tourner le contact et de partir. Elle a besoin de Simon, de sa peau, de son souffle, elle rêve de, non, ça elle n'a pas le droit d'y penser. La dernière fois dans la cuisine, jamais elle n'aurait imaginé ça, avec personne, mais avec lui tout est possible. Elle n'en peut plus de mentir à tout le monde. Ça ne va pas durer, elle va tout balancer.

Une main se pose sur son épaule et lui arrache un cri. Elle se retourne. C'est Arnaud qui agite un trousseau comme un hochet.

— Tu as oublié les clés.

Elle enfouit maladroitement le téléphone dans sa poche. Il demande :

— C'était qui ?

— Rien. Ma mère.

— Tu fais une drôle de tête, elle a un problème ?

— Non, non. Elle voulait savoir quand on rentrait pour nous inviter.

— Tu sais quoi ? Je ferai un barbecue chez elle, à chaque fois elle dit « non » alors qu'elle adore ça.

« Comment faire l'amour, comment faire un chignon, comment faire un CV, comment faire du caramel, comment faire la prière, comment faire une division, comment faire des abdos, comment faire des crêpes. » Aucune des suggestions complétées par le moteur de recherche n'intéresse Virginie.

Assise devant la réception, l'ordinateur sur les genoux, elle joue les apprentis détectives mais son enquête se heurte très vite aux limites de ses compétences. C'est Vincent qui gère tout ça à la maison et, sortie du logiciel qu'elle utilise tous les jours à la préfecture, elle se perd dans les méandres informatiques.

Persuadée que la clé de l'énigme est là, quelque part, elle clique sur les icônes à la recherche d'une trace des messages que Vincent envoie dans son dos à une femme. Hier encore, il est allé se connecter pendant le film, il sait bien qu'à cette heure-ci les filles sont couchées et qu'elle ne pourra pas venir voir ce qu'il fabrique. Coincée dans l'appartement, elle a mangé un paquet entier de copies doubles (elles sont meilleures que les simples), une habitude prise au bureau : une agression, une feuille. Ses collègues ne font plus attention à cette bizarrerie, certaines ont même tenté de l'imiter mais sont vite revenues au chocolat. Virginie a beau savoir que le papier est bourré de produits toxiques, entre un ulcère et cinq kilos, son choix est vite fait.

Sans qu'elle comprenne pourquoi, une vidéo démarre sous ses yeux. Un homme en costume cravate lui explique comment gagner trois cents euros par jour sans bouger de chez elle. Impossible de l'arrêter. Elle appuie sur la touche du haut-parleur pour couper le son mais ça ne marche pas. Un adolescent qui joue en ligne sur sa tablette l'observe avec un sourire en coin. C'est toujours un plaisir de voir les adultes lui apprendre le monde d'hier quand ils sont incapables d'utiliser les outils d'aujourd'hui.

Miracle. Aussi simplement qu'elle était apparue, la vidéo disparaît de l'écran. Virginie reprend ses investigations et s'enfonce un peu plus dans les oubliettes du cyberespace. « Message supprimé », « retrouver message supprimé », elle commence à avoir sacrément mal aux fesses sur ce muret.

— Bonjour, vous allez bien ?

Elle lève les yeux et reconnaît Arnaud.

— Ça va, et vous ? Erwan va mieux ?

Il pose ses packs d'eau minérale et lui serre la main.

— Oui. Le médecin n'a rien trouvé, c'était sûrement une insolation. En tout cas, c'était sympa de le garder.

— C'est normal de s'entraider.

Elle hoche la tête et demande :

—Vous vous y connaissez en informatique, je crois ?

— Un peu. J'ai un blog. Pourquoi ?

Elle dit, comme pour s'excuser :

— J'ai effacé des messages de Vincent par erreur et je n'arrive pas à les remettre.

— Vous voulez que je regarde ?

— Je ne veux pas vous déranger.

— Pas de souci, s'ils sont dans la corbeille, on va vite les retrouver.

Arnaud prend les commandes. Virginie regarde par-dessus son épaule mais il va trop vite. Il ouvre la messagerie, le compte actif est celui de Vincent. Après quelques manipulations, il s'arrête :

— Il me faut le mot de passe. Vous voulez le taper ?

Elle ne s'y attendait pas et improvise une suite de chiffres en bredouillant :

— Je crois que j'ai oublié le code. C'est pas grave je lui demanderai, merci quand même.

Arnaud n'insiste pas et repart en lui souhaitant « bon appétit ». Dès qu'il est assez loin, elle se précipite sur les en-têtes des messages verrouillés. Un nom revient dix-huit fois, Jeanne Support. Elle tremble. Dix-huit messages. Elle sentait bien qu'il se passait quelque chose. Les yeux embués, elle lit l'objet du dernier message : « La vendeuse de chez Vogica est très convaincante. » La Terre fait la révolution sous ses pieds.

Devant la bijouterie, au 59 rue Paradis, une place pour handicapés est matérialisée. Arnaud tourne depuis un moment, il hésite à s'y garer mais renonce. Dans une rue adjacente, il trouve enfin l'entrée du parking souterrain, descend dans l'étroit boyau jusqu'au niveau le plus bas et coupe ses phares. Son téléphone est posé sur le siège passager, le lieu est désert, une occasion rêvée pour aller faire un tour sur Pornhub.com.

Il arrache sa ceinture d'un geste nerveux, non, il s'est juré d'arrêter, ce n'est plus vivable, ce dégoût de lui-même une fois l'excitation retombée. Il va se désintoxiquer, il va reconquérir sa femme. Il sait bien qu'elle ment, ce soi-disant coup de fil à sa mère sur le parking, il n'y a pas cru une seconde.

La musique de chambre dans l'ascenseur réconforte le temps de la montée et, à peine sorti de la cabine, le mistral vient le gifler méchamment. La tension monte. Il déteste aller chez le bijoutier, chaque fois les vendeuses l'incitent à prendre la pièce la plus chère et il se sent obligé de le faire par crainte de passer pour un radin.

Arrivé devant la vitrine, il jette un œil distrait aux étalages et remarque surtout l'employée qui profite de sa pause cigarette. Elle est au téléphone et raconte dans le détail un épisode tragi-comique survenu une quinzaine de jours plus tôt. Un client lui a acheté un magnifique solitaire, il est revenu une semaine plus tard avec sa femme et la femme ne portait pas la bague alors elle, bien sûr, elle a demandé s'il y avait un problème de taille et là, le client lui a lancé un regard qui lui a tout de suite fait comprendre aussitôt qu'elle aurait mieux fait de se taire. Jetant son mégot loin devant le trottoir, elle éclate de rire en s'exclamant : « La gaffe ! » et rentre dans le magasin sous les yeux médusés d'Arnaud.

Soufflé par une énième bourrasque, il entre à son tour et quand la porte blindée se referme derrière lui, la vendeuse imprégnée de l'odeur du tabac sourit et lui demande ce qu'il recherche. Il répond : « Une bague », elle : « C'est pour une occasion particulière ? » Il pense : « C'est pour sauver mon mariage » et répond : « Non, comme ça, pour le plaisir. » Elle a compris, le client est un anxieux. Il gratte des plaques rougeâtres sur ses avant-bras et ses ongles sont rongés. Elle l'invite à s'asseoir autour d'un petit bureau en acajou.

— Est-ce qu'elle la portera tous les jours ?

Arnaud est surpris par la question. On ne la lui a jamais posée.

— Oui, je pense, enfin, je crois.

— Comprenez, je vous demande ça parce qu'il y a des montages qui sont plus fragiles que d'autres. Et vous avez une envie pour la pierre ?

— Une émeraude ou un rubis.

— Ce n'est pas la même chose, remarquez, le rouge ne se démode pas. Vous connaissez sa taille ?

Il répond sans hésitation :

— 53.

— Pour le budget, vous avez une idée ?

Bien sûr qu'il a une idée, mais ça l'embarrasse de le dire. Les mains jointes sur ses cuisses, il se demande s'il existe un prix, une valeur étalon pour exprimer l'étendue de ses sentiments. Combien de carats faut-il pour fabriquer une preuve d'amour ? Les femmes disent toujours que c'est le geste qui compte, mais si c'était vrai, ils ne seraient pas si nombreux à entrer dans une bijouterie avec la peur au ventre avant de se délester d'une somme inhabituelle. Une course qui favorise nettement ceux qui peuvent signer un chèque à cinq chiffres sans trembler.

— Je ne sais pas, montrez-moi, on verra après.

La jeune femme sort une clé d'un tiroir, se dirige vers les étals et revient avec trois anneaux posés sur un plateau de velours noir. Elle a choisi trois rubis et pris soin de retourner l'étiquette où le prix est inscrit en tout petit. Elle décrit le montage, la qualité de l'or, de la pierre. Arnaud l'écoute. Ça ne lui plaît pas vraiment, une des bagues ressemble à un homard avec ses deux ronds écartés et un ovale au centre, s'imaginant plongé dans un bain d'eau bouillante, il demande à voir des émeraudes.

La vendeuse se lève et lance au passage un regard complice à sa collègue qui suit la transaction de loin. Le client est un émotif, il faut faire très attention avec les émotifs, ils sont capables de repartir sans rien acheter s'ils sentent trop de pression. Elle sort trois émeraudes de la vitrine, dont une sertie de diamants.

Arnaud respire :

— C'est mieux, j'aime mieux cette couleur.

Il remarque tout de suite une pierre maintenue par les extrémités de l'anneau. C'est très délicat, très fin. La jeune femme en prend une autre.

— Vous n'aimez pas celle avec les diamants ?

— Si. Aussi.

— Votre femme a plutôt la peau mate ou claire ?

— Moyen. Un peu comme vous.

— Je vais les essayer, ça vous aidera à choisir.

Elle glisse les bagues sur ses deux annulaires et présente ses mains à Arnaud. La première est en or blanc 18 carats, la seconde en or jaune. Il préfère la première, avec le montage le plus fin. Elle l'échange avec l'émeraude sertie de diamants. Arnaud a un léger frémissement. Il vient de voir le prix.

— Ah, vous aussi, vous préférez celle-ci ? C'est vrai que les diamants, c'est une valeur sûre, avec ça, on ne peut pas se tromper.

Arnaud frotte ses mains sur son pantalon et demande :

— Elle est à quel prix ?

La vendeuse prend un air faussement détaché et annonce :

— Celle-ci fait 2 050 euros.

Il se racle la gorge et n'ose pas s'enquérir du prix des deux autres. Le silence embarrassant qui s'installe entre eux le pousse à se décider.

— Bon, je vais prendre celle-là.

— Vous avez raison, c'est ma préférée. Ma collègue va vous faire le paquet. Vous réglez par carte ?

— Oui, par carte.

Au moment de taper les chiffres, il a une seconde d'hésitation, il n'est plus très sûr de son code. Heureusement, ça passe. Il range le ticket dans son portefeuille et patiente en regardant les montres. La vendeuse lui tend un emballage luxueux et murmure :

— Tenez, et si jamais elle préférait un rubis, vous n'hésitez pas à revenir avec elle.

Arnaud acquiesce. En franchissant la porte, il se sent un autre homme, il est protégé. Au Moyen Âge, la légende voulait que les diamants éloignent la peste. Aujourd'hui, il prie pour qu'ils repoussent les divorces.

— Vous en voulez encore ?

La bouche collée au micro, le forain imprime un rythme d'enfer au monstre d'acier qui déploie ses bras articulés vers le ciel. Les passagers sont comme des particules projetées dans un tunnel, et poussent des hurlements qui font frissonner Chloé et Léa. Toute la semaine, elles ont rêvé de cette cacophonie, de cette orgie de lumière, une passion héritée de leurs parents qui séchaient la fac pour aller se promener au milieu des manèges du cours Léopold. Virginie était montée un jour dans la grande roue sans jamais pouvoir ouvrir les yeux, blottie contre l'épaule de celui qui allait profiter de la situation et devenir son mari.

Ce soir elle sourit, mais le cœur n'y est pas. Elle est hantée par le fantôme de Jeanne Support. Ça devait arriver, cette Jeanne doit être le genre de fille dont rêvent tous les hommes. Elle compte les jours jusqu'au retour à Seichamps, elle ne dira rien avant pour ne pas gâcher les vacances des filles. En attendant, elle dort peu, embarquée dans les montagnes russes, elle passe de la colère à la résignation.

— On bouge ?

Vincent pousse la petite troupe vers l'attraction suivante, l'Ejection Seat. Sur une plateforme étroite, un employé sangle deux apprentis astronautes et leurs amis restés à terre crient leur prénom comme s'ils ne devaient pas les revoir. Le stress monte jusqu'à ce que le vérin se rétracte et libère la chaîne élastique qui propulse la nacelle quarante-cinq mètres plus haut. Les spectateurs ébahis la regardent rebondir et tourner sur elle-même.

Chloé dit, sans lâcher la main de sa mère :

— On dirait la boule que tu mets dans la machine à laver.

Léa lève les yeux vers son père.

— Tu veux essayer, papa ?

— Non, ça va.

— T'as peur ?

— Non, j'ai pas peur.

Après quelques minutes, les deux cobayes ressortent lessivés et affectent une attitude blasée en descendant l'escalier vers la sortie. Chloé profite de l'inattention de ses parents pour s'échapper vers une caravane qui répand tout autour une odeur mêlée de sucre et de friture. Ses yeux arrivent à peine à hauteur de la vitrine. Elle se hisse sur la pointe des pieds et le grand-père qui agite ses beignets dans un bain d'huile bouillante lui sourit.

Son père court vers elle et lui fait la leçon.

— Tu ne pars pas sans prévenir. Tu nous attends. D'accord ?

Elle montre les berlingots multicolores.

— Je veux des comme ça.

— Non.

— Pourquoi ?

— Parce que.

— Parce que quoi ?

Vincent soupire. Il n'a aucune envie de se battre. Pas ce soir. Il se demande déjà comment annoncer à Virginie qu'il a perdu l'argent économisé pour l'apport du Tiguan, alors ce n'est vraiment pas le moment.

La finance, lion par-devant, serpent par-derrière et chèvre au milieu, l'a réduit en cendres. Dopé par ses gains, il s'est entêté, comme un joueur il a cru aux cycles de chance, mais c'est fini, son compte est à sec. Enfin, presque. Lorsqu'il a voulu récupérer les 192 euros restant sur les 6 300 au départ, le bouton « retrait » n'a pas fonctionné. Il a envoyé un e-mail à Jeanne qui lui a répondu : « Ce n'est pas un problème technique. Vous ne pouvez pas retirer la somme parce que vous avez eu deux bonus. » Il a aussitôt fait remarquer qu'il n'avait pas demandé ces bonus, mais qu'on les lui avait offerts. « C'est écrit dans les conditions générales, prendre un bonus engage à ne pas retirer son capital en dessous d'une somme plancher. » Jeanne va voir ce qu'elle peut faire, mais ne lui promet rien.

« À 60 mètres de hauteur, à 100 kilomètres/ heure », crie une voix nasillarde dans les haut-parleurs qui ceinturent le Top Spin. Virginie se retourne et voit Vincent accroupi devant Chloé. Au-dessus de leurs têtes, le confiseur ajuste son calot blanc et dit :

— Faut pas pleurer comme ça. Qu'est-ce qui lui ferait plaisir à la petite demoiselle ?

Virginie accourt et répond à la place de sa fille :

— Des churros. Pour quatre, s'il vous plaît.

Vincent ouvre grand les yeux. Depuis combien de temps n'a-t-il pas vu sa femme manger des churros ? Il ne sait pas s'il faut s'en réjouir ou s'en inquiéter. Virginie se comporte bizarrement depuis quelques jours, comme si elle sentait quelque chose. Quand il lui demande quel est le problème, elle répond : « Quel problème ? Il n'y a pas de problème, tu as un problème, toi ? » Lui : « Non, je n'ai pas de problème. Pourquoi ? » et la conversation tourne en rond, comme les chevaux de bois.

Ils marchent en avalant tous les quatre les gros spaghettis croustillants et dorés. Devant le Palais des glaces, labyrinthe pour petits et grands, Léa se suspend au bras de sa mère :

— On le fait ? Dis, on le fait ?

Virginie s'essuie les mains et fait la queue pour acheter des tickets. Chloé est un peu jeune, mais la caissière ferme les yeux, de toute façon il y a moyen de la faire sortir rapidement.

À peine entrés, l'illusion est parfaite, ils se cognent aux vitres teintées de rose et de bleu. Vincent avance bras tendus. Léa propose de faire deux équipes, les derniers sortis auront un gage. Chloé reste avec son père. Il profite de l'agitation pour regarder discrètement son téléphone. Il y a un message de Jeanne. Comme il le craignait, ses 192 euros sont bloqués, elle l'invite à les miser et cite Steve Jobs : « Continuez d'avoir soif, continuez d'être fou. »

Vincent oublie de se protéger et s'écrase le nez. Il crie :

— Putain !

Chloé s'agrippe à son bermuda.

— T'as mal, papa ?

— Non, c'est rien. On y va. On est presque arrivés.

Virginie a tout vu, elle donne des coups de pied dans les portes qui s'ouvrent comme par magie. Elle va l'étrangler, il envoie des SMS sous le nez de sa fille. C'est à vomir.

Vincent met cinq bonnes minutes à trouver la sortie et, une fois dehors, il se frotte le front. Une irrésistible envie de fumer le tenaille. Pour éviter toute tentation, il a laissé son paquet à la résidence, mais là, c'est trop. Virginie va le tuer quand elle va savoir ce qu'il a fait. Il craque et demande une cigarette à une femme qui pousse un landau avec des jumeaux. Du feu, aussi. Caché derrière la caisse du Palais des glaces, il tire comme un forcené sur le filtre et fait promettre à Chloé de ne rien dire.

Voyant Virginie sortir au loin, il lance le mégot et s'approche.

Chloé court vers sa mère en criant :

— Un gage ! C'est moi et papa qui a gagné. Deux tours pour moi dans le manège de Minnie.

Virginie et Vincent se regardent sans un mot et font demi-tour. Ils achètent des jetons pour les autos du Magic Disney et Virginie reste sur le manège avec les filles jusqu'au départ. Vincent fait des signes depuis la barrière de sécurité et elle le rejoint en remontant les manches de son gilet. Elle dit comme si une autre parlait à sa place :

— C'était quoi ton message ?

— Quel message ?

— Le message que tu as regardé dans le labyrinthe.

— Ah, ça ? C'est un vieux, c'est pas important.

— Tu peux me le montrer si c'est pas important.

— Comment ça ? Je ne vais pas voir ce qui se passe dans ton téléphone, moi.

La digue cède. Virginie regarde son mari et dit :

— C'est Jeanne Support ? C'est ça ?

— Jeanne Support ?

— Ne me prends pas pour une conne, Vincent, je sais très bien que vous vous envoyez des mails derrière mon dos, je les ai vus sur l'ordinateur.

Il doit se retenir de rire. Il vient de comprendre.

— « Support » ce n'est pas un nom, ça veut dire « assistance ». C'est de l'anglais.

— Tu vas me faire croire que tu apprends l'anglais ? C'est tout ce que t'as trouvé ?

Puisqu'il faut y passer, autant que ce soit maintenant.

— C'est ma formatrice de trading.

— De quoi ?

— De trading, je me suis inscrit sur un site de trading.

Virginie secoue la tête.

— Mais avec quel argent ? Et pourquoi tu ne m'as rien dit ?

— Je voulais te faire la surprise.

— Ça, c'est réussi. T'as gagné ?

Vincent baisse les yeux et racle le sol comme une bête qui refuse de monter dans le camion qui mène à l'abattoir.

— T'as perdu ? C'est ça ?

— Oui.

— Combien ?

La réponse est couverte par la voix du forain qui annonce l'arrivée du pompon.

— À peu près six mille.

— Combien ?

— Six mille.

— Euros ?

Il dirait bien que ça fait plus de dix ans qu'on est passé à l'euro mais se contente de hocher la tête.

— T'as perdu l'argent du Tiguan ?

Virginie a sa tête du soir où il a cassé le cendrier en albâtre offert par ses beaux-parents au retour de leur croisière « Le Nil en toute sérénité ». Il baisse les bras en disant :

— Je sais, j'ai merdé.

Le spectre de Jeanne Support s'évanouit dans une flaque. Virginie est soulagée, Vincent ne ment pas, elle sait quand il ment. Mais l'argent. Où vont-ils trouver l'argent ? Elle a dit à tout le monde qu'elle changeait de voiture en septembre, elle doit le faire sinon de quoi elle aurait l'air ?

Chloé et Léa se dressent pour attraper la queue du Mickey. Elle fixe le manège et dit :

— J'ai mal au cœur, je crois que je vais vomir.

— Ça, c'est les churros, Ninie, t'as plus l'habitude.

« Miroir, miroir en bois d'ébène, dis-moi que je suis la plus belle. » Claire presse contre elle sa robe de couturier et la fait danser. À côté, toutes les autres ont l'air de vieux chiffons. Elle la portera ce soir et si Arnaud l'interroge, elle dira qu'elle l'a commandée sur Internet avant de partir et s'il voit la griffe du couturier, elle répondra que c'est une fausse.

Elle descend pieds nus dans la salle de bains, se parfume et Arnaud l'observe depuis l'obscurité du couloir.

— C'est nouveau cette robe ?

— Oui, je l'ai achetée avant les vacances.

— Tu as bien fait, elle te va très bien. Tu es prête ?

Claire brosse ses cheveux en scrutant les joints irréguliers du carrelage.

— Vas-y, commence sans moi.

— Comme tu veux.

Combien de fois elle lui a demandé d'arrêter avec ça ? Combien de fois ? Elle pousse la porte du séjour, s'apprête à crier et découvre Arnaud qui lui tend une coupe de champagne.

— J'ai pris celui que tu préfères.

— Ah.

— On trinque ?

Elle pose son verre sur la table et pense à Simon. Elle ne peut plus jouer cette comédie. C'est l'heure de vérité.

— Je ne veux pas trinquer Arnaud, je veux divorcer.

— Elle est vraiment magnifique cette robe. Tu l'as trouvée où ?

Claire prend appui sur le plan de travail de la cuisine et lance :

— Tu entends ce que je te dis ?

Arnaud ouvre les tiroirs sans se rappeler ce qu'il cherche.

— On en parlera à la maison.

— Non. Pas à la maison. Maintenant.

Il se retourne et explose :

— Tu ne vas pas faire comme ta mère ? Tu as toujours dit que tu ne ferais pas comme elle. Et Erwan ? Tu y as pensé ? Tu sais très bien que ce n'est pas à cause de la glace qu'il a été malade.

— Ne crie pas comme ça. Il va nous entendre.

Arnaud s'écroule sur le canapé et plonge la tête dans ses mains. Sa belle-mère et son fils ont toujours été une police d'assurance pour son mariage.

— Il y a quelqu'un d'autre ? C'est ça ?

— Ce n'est pas le problème, Arnaud, le problème, c'est nous.

— Mais qu'est-ce que j'ai fait ?

Claire enfile ses escarpins et s'emporte :

— Qu'est-ce que tu as fait ? Tu me demandes ce que tu as fait ? Mais c'est simple, devant les autres tu joues à l'homme parfait et avec moi tu te comportes comme un gosse, tiens par exemple, ça fait cent fois que je te demande d'arrêter avec tes « comme tu veux » que je te demande d'être adulte, de prendre un peu les choses en main. Tu le fais ? Non.

Elle tient la poignée de la porte-fenêtre entre ses doigts et Arnaud se précipite pour l'empêcher de sortir.

— Tu vas où ?

— Lâche-moi, tu me fais mal.

— Tu vas où ?

— Je sors.

— Où ça ?

— Ça ne te regarde pas, je serai rentrée avant qu'Erwan se réveille. Pousse-toi, maintenant.

Il lâche prise et la regarde se frayer un passage entre les chaises sur la terrasse. Il voudrait courir, mais ses jambes refusent d'obéir. Il est planté comme un clou dans le sol avec le sentiment curieux d'avoir déjà vécu cette scène. Une voix de stentor bourdonne dans ses oreilles, celle de son père qui ne ratait jamais une occasion de l'appeler « la mauviette » et lui inspirait une peur panique, surtout quand il avait bu.

Claire est déjà en route et roule parmi les vignes rougeoyantes au soleil couchant. L'amour ne rend pas aveugle, c'est le contraire, elle n'a jamais été aussi sensible aux parfums et aux couleurs que ce soir.

Dans l'impasse où est nichée la villa de Simon, elle se gare devant une pancarte « À vendre » accrochée à un poteau décrépi. En verrouillant les portières, elle imagine une maison de famille où chacun se retrouvait l'été, les grands-parents décèdent, il faut faire des travaux, ça coûte très cher et, chez le notaire, comme d'habitude les pragmatiques l'emportent sur les sentimentaux.

Elle s'apprête à sonner mais le portail s'ouvre de lui-même. Un homme en costume clair la salue et s'efface pour la laisser passer. Pariant qu'à cette heure-ci Simon prendra un cognac au bord de sa piscine, elle contourne la maison. Impatiente de tout lui raconter, elle se sent libérée.

Un éclat de rire la retient un instant. Le rire d'une femme. Celle de Simon est aux États-Unis, c'est peut-être une assistante qui est venue lui faire signer des papiers. Derrière le rideau de jasmin, elle le trouve poussant un matelas gonflable sur lequel est étendue une sirène blonde. C'est elle qui remarque sa présence, la première. Simon tourne la tête à son tour et s'exclame :

— Claire ! Comment tu vas ? Tu ne m'as pas dit que tu venais.

Il a de l'eau jusqu'au nombril et grimpe à l'échelle pour venir l'embrasser.

— Excuse-moi, je suis trempé. Tu es superbe dans cette robe, je me demandais si tu allais la remettre un jour. Viens, je vais te présenter Tatiana.

Claire tient debout grâce à un fil invisible, une marionnette incapable d'agir de son propre chef. Rester ? Partir ? Pour aller où ? Un peu gêné, Simon l'étreint sous le regard de la jeune femme qui les rejoint en souriant. Avec un fort accent russe, elle dit qu'elle est enchantée de la connaître, qu'elle adore la France et les Français. « C'est un très beau pays. Beaucoup de soleil, c'est bon pour la peau. Beaucoup de belles choses dans les magasins. » Sa sincérité enfantine a quelque chose de désarmant.

Claire plie sous la volonté implacable de Simon et Tatiana prend son petit appareil photo pour les mitrailler. Elle explique :

— Tu vois, pour faire un portrait, il faut le zoom, comme ça tu recules et quand le flash est loin, il ne prend que le beau de toi.

Il s'approche pour voir le résultat.

— Elles sont super, tes photos ! Allez ! Tout le monde dans le bain.

Claire n'a pas pris de maillot. Pour l'encourager, Tatiana enlève le sien et plonge entièrement nue.

— Viens ! Elle est super-bonne.

Simon l'aide à retirer sa robe, la soulève comme un sac de grain et la jette à l'eau avant de sauter à son tour. Il nage dans les profondeurs du bassin et remonte à la surface pour l'embrasser. Tatiana s'ébroue joyeusement et s'approche. Sentant les mains de la jeune femme glisser sur ses hanches, Claire se raidit instantanément. Simon lui mordille l'oreille et murmure :

— Je croyais que tu voulais tout essayer.

Aucun son ne sort de sa bouche. Elle s'était imaginé une soirée en tête à tête, ils auraient parlé de l'avenir, avant de faire l'amour dans la chambre d'ami. Furieuse, elle se dégage, se hisse sur les margelles à la seule force des bras et s'enveloppe dans une serviette. Assise au bord d'un transat, elle grelotte et boit d'un trait un fond de cognac. Elle pense à la bouteille achetée par Arnaud. Quand il achète du champagne, c'est qu'il va lui faire un cadeau. Un gros.

Simon la rejoint, se met à genoux et il lui tend une fraise qu'elle saisit en lui mordant le bout des doigts. Il est certain qu'elle est de ces femmes qu'il faut supplier pour aller danser et qu'on ne peut plus arracher de la piste après deux slows. Il écarte la serviette et caresse sa peau avec une douceur déchirante pendant que sa complice porte un verre à ses lèvres. Lentement, elle gagne du terrain, se faufile entre eux comme un petit ruisseau et, noyée dans le regard de l'homme qu'elle aime, Claire goûte l'étrange saveur du baiser de Tatiana.

— J'ai été idiot.

Le démenti tarde à venir. Claire remarque le paquet enrubanné de fil d'or entre le bol et la cuillère à café. Elle ne s'est pas trompée, la mise en scène de la veille, c'était pour ça.

Arnaud tire une chaise :

— Assieds-toi.

Rasé de près, il a déjà pris son petit déjeuner même s'il ne dormait pas quand elle est rentrée au milieu de la nuit, elle en est sûre. Elle aurait compris qu'il explose, qu'il l'étrangle, mais non, il est resté sans bouger, couché sur le flanc.

— Tu ne l'ouvres pas ?

— Si, si.

La taille de la pierre et les diamants procurent à Claire un sursaut matinal. Elle passe l'émeraude à l'annulaire droit et l'apprécie bras tendu devant elle. Arnaud saisit sa main au passage, elle la retire comme si elle avait touché un serpent. Ne pas se laisser hypnotiser. Ne pas tomber dans le piège.

Elle replace la bague dans l'écrin qu'elle fait claquer comme une guillotine, saisit son sac de piscine et dit :

— Elle est très belle, mais ça ne change rien. Ramène-la au magasin.

— Tu vas nager ? Mais tu n'as même pas déjeuné.

— J'ai pas faim.

Elle disparaît. Assis sur un tabouret, Arnaud contemple la nature morte avec fruits, carafe, bol et coffret à bijoux. Il est fatigué, il veut rentrer chez lui, il veut la regarder dormir et se réveiller comme avant. C'est la première chose qu'il fait le matin, vérifier que le drap se soulève légèrement au-dessus d'elle. À l'hôpital, sur le lit de mort de son père, alors que tout le monde pleurait, il ne voyait que ça : un ventre qui ne bouge plus. La vie commençait et s'échappait par là.

Il monte l'escalier et range l'émeraude dans le tiroir de sa table de chevet. Il trouvera un autre moment pour la lui offrir. Dehors, Erwan joue avec les voisines, il le regarde, il va se battre pour lui, pour son fils. Avant, il doit s'occuper de son blog. Des dizaines de messages sur la « Photo mystère » sont restés sans réponse, ses collègues s'inquiètent. Il prétextera un problème de connexion et donnera un indice pour se faire pardonner.

Il y a trois itinéraires possibles pour aller à la réception depuis l'appartement. Arnaud choisit celui qui passe devant la piscine. Il reconnaît Claire immédiatement. Elle fait ses longueurs sans se soucier des enfants qui s'abattent autour d'elle comme des obus. Il ralentit à peine, continue son chemin et crève d'envie de se retourner.

Claire fatigue. Le manque de sommeil l'empêche d'aller jusqu'au bout de son entraînement, elle se contente de soixante allers-retours avant d'aller finir sa nuit sur un transat.

— Bonjour.

Elle ouvre les yeux. Vincent se penche, un journal et une serviette à la main. Il ne s'est pas baigné, mais ses cheveux paraissent humides. Inclinant le dossier du fauteuil voisin, il dit en souriant :

— Erwan joue avec les filles. Je crois que Léa a un petit faible pour lui. Ils regardent les photos du chien et ça ne m'étonnerait pas qu'il vous tanne pour en avoir un.

— Qu'est-ce que c'est comme chien ?

— Un petit. Un bouledogue français.

— Ah, oui, je vois, et vous ne l'avez pas amené ?

— Non, on n'a pas pu, mais c'est une histoire compliquée.

Pendant qu'ils discutent, des garçons s'amusent à sauter le plus près du bord. Vincent les regarde en grimaçant.

— C'est quoi ces gosses ?

— Ils sont pénibles, mais qu'est-ce qu'on peut faire ?

— Ils ont bien des parents quelque part ?

— Sûrement.

Claire s'étire et s'allonge sur le ventre. Nager dans la piscine de Simon est un vrai bonheur, rien à voir avec cette promiscuité forcée. Arnaud dit que les riches ont toujours l'air de s'ennuyer mais il se trompe, ils font croire qu'ils s'ennuient pour avoir la paix, parce qu'ils savent que le vent révolutionnaire peut se lever à tout moment et les emporter de l'autre côté de la Manche sans billet de retour.

Caché derrière ses lunettes de soleil, Vincent examine la silhouette de sa voisine. Il aime Virginie, et pourtant, rien qu'une fois, il aimerait tenir dans ses bras une femme comme elle, une femme aux proportions idéales. Il change de sujet.

— Ça cogne, aujourd'hui.

— Oui et ils annoncent encore plus chaud demain.

Il déplie son journal et voit des pages entières de publicités pour les voitures. Se rappelant sa « connerie », il pense à haute voix :

— Virginie m'a dit que vous travaillez dans la banque ?

— Oui. Pourquoi ? Vous avez besoin d'un prêt ?

— Non, enfin, oui, mais je me demandais si vous connaissiez les options binaires ?

Claire se redresse pour mieux le voir :

— Non. C'est quoi ?

— Rien. Un attrape-couillon. Laissez tomber.

— Ah.

Vincent est rassuré. Si quelqu'un qui travaille dans une banque ne connaît pas, ça prouve qu'elle aussi aurait pu se faire avoir. Pour oublier, il décide de se concentrer sur le match de rugby à venir entre Bayonne et Toulon. L'aviron bayonnais, c'est son club de cœur, l'ADN maternel. Il y a quarante ans que sa mère a quitté les bords de la Nive pour suivre l'homme qui a fait d'elle, en même temps que sa femme, la secrétaire de Lorraine dépannage. Avec cependant une condition : revenir tous les étés à Anglet en dépit de l'aversion de son père pour les activités nautiques.

Claire s'assied et regarde sa montre dans son sac.

— Dites, il s'est passé quelque chose avec Virginie ? Je ne sais pas, mais j'ai l'impression qu'elle m'évite.

— Non, cherchez pas, elle se cache parce qu'elle s'est fait piquer par une guêpe. Elle croit qu'elle est défigurée alors qu'on ne voit plus rien.

— Une guêpe ?

— Oui, on a fait un pique-nique, mais ne dites pas que je vous l'ai dit sinon elle va me tuer.

— Je ne dirai rien.

Claire rétracte ses jambes en poussant un cri. Les garçons ont réussi à les arroser. Le journal de Vincent est trempé. Il fonce vers eux et hurle en montrant du doigt le panneau des interdictions accroché à la barrière de sécurité :

— Vous savez lire ?

Manifestement peu habituées aux démonstrations d'autorité, les trois terreurs rejoignent leur transat et apparaissent pour ce qu'ils sont : des nains.

Vincent revient et s'allonge sans un mot. Autour du bassin, aucun des adultes présents n'a bronché. Claire remonte ses lunettes de soleil et lui dit :

— Merci.

C'est sa troisième bière. La mousse déborde un peu et coule sur le carton. Vincent tourne les yeux vers l'écran géant et pense au rêve qu'il a abandonné un après-midi dans le bureau de la conseillère d'orientation du lycée. C'est loin, mais il n'a rien oublié. À peine était-il assis qu'elle avait demandé :

— Alors, jeune homme ? Qu'est-ce que vous voulez faire plus tard ?

— Journaliste sportif.

— Ah. Journaliste, pas facile journaliste, il y en a beaucoup qui veulent faire journaliste.

— Oui, mais moi, c'est journaliste sportif, pas journaliste tout court.

Un néon vibrionnait au-dessus de sa tête, c'était très désagréable. La conseillère avait expliqué qu'il n'y avait pas assez d'argent pour les photocopies alors elle n'allait pas amputer le budget pour un tube qui marchait encore.

D'un geste énergique, Mme Pinchard avait sorti de son classeur la fiche « Journaliste ». Vincent se rappelle la couleur du classeur : orange.

— Vous êtes bon en français ?

— Moyen.

Elle avait posé ses demi-lunes sur son nez et lu un extrait des aptitudes requises :

— Il faut une « expression écrite et orale irréprochable ».

Il avait répondu qu'à l'oral ça allait, mais à l'écrit, il n'avait pas trop bien réussi au bac mais pour commenter des matchs, c'est surtout l'oral qui compte, non ?

— Peut-être. Alors, les écoles. La plus proche, c'est Strasbourg.

Il le savait déjà mais espérait qu'il y aurait un diplôme équivalent à l'université. Tendu comme une arbalète, il s'était mis à piétiner la sangle de son sac de cours. Payer l'école ? Déménager ? Il connaissait la réponse, ses parents diraient non tout de suite, il avait encore deux sœurs derrière lui, ce n'était pas possible.

Voyant sa déception, la conseillère avait aussitôt cherché une alternative.

— Et l'informatique ? Ça ne vous plaît pas ? Quand je vois vos notes en maths, vous avez tout à fait le profil.

— C'est pas pareil.

— Vous savez, mon garçon, il faut être pragmatique, dans l'informatique il y aura toujours du travail et le chômage ne va pas en s'arrangeant. Vous devriez y réfléchir, croyez-moi.

Sans attendre, elle avait saisi un autre classeur et cherché à la lettre T, « Technicien de maintenance en informatique ».

— Voilà. Regardez ça. Il y a un DUT réseaux et télécommunications et c'est à Nancy. Le résumé disait : « Les débouchés sont nombreux chez les constructeurs d'équipements réseaux, opérateurs de télécommunications ou fournisseurs d'accès Internet, dans les entreprises et les administrations gérant elles-mêmes leurs systèmes d'information et de communication, chez les installateurs de téléphonie et dans les SSII. » C'est parfait !

Parfait ? Il n'aurait jamais dû écouter cette vieille chouette, pense-t-il en terminant sa bière d'un trait. Quand il repense à ce rendez-vous, ça le rend dingue. Ce jour-là, il aurait mieux fait d'aller jouer au baby-foot au Balto avec ses copains. Si elle ne lui avait pas lavé le cerveau, il aurait peut-être convaincu ses parents, il aurait travaillé pour payer les frais et, au lieu d'être ici dans ce bar, cerné par des supporters toulonnais, il serait dans le poste, derrière un micro, en train de commenter le match.

Le sport, c'est toute sa vie. À quinze ans, il se levait au milieu de la nuit pour regarder l'équipe de France jouer dans l'hémisphère sud. Il est incollable sur le rugby, le foot, le tennis, la natation, il regarde tout. Quand, à table, il parlait de son envie de vivre au plus près des stades, son père lui disait en se curant les dents avec la pointe du couteau : « Tu rêves, mon fils. »

Au fond, il s'en veut d'avoir abandonné aussi facilement, il a manqué de courage, pas comme ces guerriers auxquels il s'identifie.

— Putain !

Le ballon sort en touche et l'arbitre siffle la fin de la rencontre. Bayonne s'est incliné devant Toulon 13 à 8 et les joueurs quittent le terrain en se tenant les côtes. Le bar est en pleine effervescence. Les drapeaux rouge et noir dansent au-dessus des tables, la bière coule à flots. Il est seul à défendre les couleurs de l'Aviron Bayonnais. Son voisin lui donne un coup de coude :

— Allez, je mets ma tournée.

Vincent sourit et trinque à la santé des Bayonnais qui se sont bien battus. C'est le moment où on refait le match. Ni lui ni les autres n'ont fait d'école mais ils commentent en experts, dissèquent les temps forts avec cette mauvaise foi qui fait partie du jeu.

Il jette un œil à la pendule accrochée au-dessus des bouteilles de sirop. Virginie a compté quatre-vingts minutes plus la mi-temps pour estimer l'heure de son retour. Qu'est-ce qu'elle s'imagine ? Qu'il va aller se taper une fille après le match ? Elle l'a tellement agacé avant de partir qu'il a failli lui dire de venir avant de se rappeler la seule fois où elle l'a accompagné. Elle avait passé son temps à critiquer, trouvant les joueurs « agressifs », les gratifiant de « têtes de tueur ». Il avait passé la première mi-temps à lui expliquer les règles, en vain. « Avancer en se passant le ballon en arrière, on se demande bien qui a pu inventer un truc pareil », c'est tout ce qu'elle avait su dire en sortant. Elle lui avait gâché son plaisir, il avait du se retenir de crier, de s'énerver, un vrai cauchemar.

Le match, c'est le seul moment où il peut extérioriser ses émotions sans passer pour un faible. Elle ne sait pas ce que c'est que de faire corps avec les joueurs, de s'incarner sous leur maillot. Dans ces moments-là, elle pourrait se déshabiller devant lui qu'il ne la verrait même pas.

— C'est fini ?

Vincent reconnaît aussitôt la voix de sa femme. Elle reste sur le pas de la porte avec les filles. Il ne se souvient pas de lui avoir donné l'adresse mais elle est là, qui l'attend. Il essuie un filet de mousse sur ses lèvres et fait quelques pas gênés dans sa direction.

— Oui, c'est fini. Depuis dix minutes.

— Ils ont gagné ?

— Non, il ont perdu.

Elle fixe ostensiblement sa montre.

— Tu rentres bientôt ? J'aimerais bien manger de bonne heure pour aller faire un tour.

— Je termine ma bière et je rentre.

Elle prend les filles par la main et file sur le trottoir. Vincent remonte sur son tabouret. Son voisin lui demande :

— C'est ta femme ?

— Oui.

— Elles sont mignonnes tes filles. T'as de la chance, les miennes, je les vois un week-end sur deux.

— T'es divorcé ?

— Ma femme s'est tirée il y a deux ans avec son kiné.

— Merde.

Vincent boit une gorgée et repose son verre sur le comptoir. Il pense à sa « connerie » et à Virginie qui a failli vomir dans la voiture en rentrant de la foire. Il regarde la télévision comme un bocal et lance :

— Ils ont pris le point de bonus, c'est l'essentiel.

Recroquevillé dans l'escalier, Erwan compte les marches qui mènent jusqu'à la chambre. Les éclats de voix de l'autre côté de la porte le déconcentrent. Ne trouvant jamais le même résultat, il recompte pour la troisième fois.

— Encore ?

— On va divorcer. Je n'ai pas de comptes à te rendre.

Arnaud tient fermement les poignets de Claire.

— Arrête, tu me fais mal.

Il la relâche et pointe un doigt vengeur vers elle.

— Réfléchis. Pense au mal que tu vas faire à Erwan. C'est ça que tu veux, faire du mal à ton fils ? Tu veux qu'il vive ce que tu as vécu ?

— C'est dégueulasse, ce que tu fais. Ce n'est pas lui que je quitte, c'est toi.

Arnaud abat ses cartes comme un joueur sûr de sa main.

— T'iras pas loin, c'est moi qui ai les clés de la voiture.

— Ça m'est égal.

— Je te préviens, si tu pars, je me flingue et tu expliqueras à ton fils pourquoi il n'a plus de père.

Claire se fige :

— Du chantage ?

— Et dis-toi bien qu'avant j'irai crever le connard qui t'a mis ces idées de divorce dans la tête.

Claire ne veut plus rien entendre, elle le bouscule et s'enfuit. Sur l'allée qui traverse les bâtiments, elle voudrait courir mais s'efforce de marcher pour ne pas attirer l'attention. Va-t-elle appeler Simon pour qu'il vienne la chercher ?

Non. Aller à pied jusqu'à la villa lui laissera le temps de se calmer et de ne plus penser à cette histoire de suicide. Elle a toujours eu le pressentiment que son mari marchait au bord d'une faille et qu'il en faudrait peu pour qu'il bascule.

Arnaud fait craquer une à une ses articulations en regardant la vaisselle du déjeuner qui s'égoutte sur l'évier. Il essuie soigneusement la lame du santoku et s'imagine l'enfoncer sous son nombril comme un vrai samouraï.

— Vous allez divorcer ?

Il lâche le couteau et se retourne. Erwan est entré sans un bruit.

— Mais non ! On s'est disputés mais c'est rien. Tu sais ce qu'on va faire ? Tu vas aller jouer avec les filles et pendant ce temps-là, je vais aller acheter des gâteaux.

— Dis, on pourra avoir un chien comme Hercule ?

— On verra en rentrant.

Erwan débarque avec son père chez les Bourdon qui ne posent pas de questions. La cloison est mince, ils ont tout entendu. Léa est « super-contente », ils vont jouer au Yo-Yo, après ils mangeront une glace Minnie et après, ils iront à la piscine.

Sans perdre une minute, Arnaud s'élance sur le chemin et s'aperçoit qu'il n'a pas les bonnes chaussures pour courir. Il prend le raccourci qu'un habitué de Riva Bella lui a montré et débouche sur la départementale qui longe la résidence. Droite, gauche, il faut choisir. Son instinct le pousse vers la droite. Il a bien fait, cinquante mètres plus loin, il distingue la silhouette de Claire.

Son plan est simple. Il la suit discrètement, plante un couteau dans le cœur de son rival et demain il fait la une de *La Provence*, auréolé du prestige teinté d'effroi dont jouissent les auteurs de crimes passionnels au pays de l'amour.

Claire accélère, elle a tout pardonné à Simon. Il lui a promis de ne plus voir Tatiana, c'est juré. Cette expérience lui a laissé un souvenir indéfinissable, tout ce qu'elle sait, c'est qu'elle n'a pas envie de le partager.

Devinant au loin le panneau « Impasse du Ponant », elle est soulagée, comme si elle rentrait chez elle après un long voyage. Elle appuie sur l'interphone et le portail s'ouvre.

À l'intérieur, une voix crie :

— Entre ! C'est ouvert.

Simon est cloîtré dans l'obscurité. Il regarde la télévision une pile de fax devant lui parce que « les vacances, c'est pour les salariés ». Il délaisse ses affaires et l'attire sur le canapé.

— Viens par là, toi.

Claire frissonne. Simon règle la climatisation trop fort. Allongée sur lui, elle observe les objets posés sur les meubles, une statuette africaine en bois d'ébène, deux masques vénitiens, un trophée de golf. Simon dégrafe son soutien-gorge. Tout en l'aidant, elle parle très sérieusement :

— Arnaud a compris que j'allais le quitter. Il m'a fait du chantage.

— Quel genre ?

— Suicide.

— Il est malade ! Et il t'a laissée partir comme ça ? À sa place, je t'aurais attachée au lit.

— Il a gardé les clés de la voiture, je suis venue à pied.

Simon la retourne comme une crêpe et lui mordille l'oreille.

— Il fallait m'appeler.

Le déclenchement d'une sirène les interrompt.

— Merde, l'alarme.

Toutes les lumières de la maison s'allument, les volets roulants descendent et Simon se précipite vers les caméras de surveillance. Aucune présence n'est détectée. Claire ferme deux boutons de son chemisier et cherche à se protéger du bruit.

Simon arpente le jardin une barre de fer à la main, dans le garage, la Maserati est intacte, le vélo de course aussi. Il file vers la piscine, refait un tour et jette un coup d'œil dans la rue au passage. Rien. Il revient dans le salon et coupe le système.

— C'est sûrement un chat. Le type m'avait dit qu'elle était réglée pour que ça n'arrive pas mais bon, tu sais comment c'est, il faut tout faire soi-même.

Accroupi derrière une poubelle, Arnaud se ronge jusqu'au sang, l'alarme s'est arrêtée mais il attend un moment avant de sortir de sa tanière. C'est ça le type qui lui a volé sa femme ? Un vieux con qui se promène avec une matraque de CRS ! Un vieux con avec la villa sur la mer, la piscine et la grosse bagnole. Parce que, forcément, il a une grosse bagnole, c'est pas avec la tête qu'il a qu'il peut lui plaire.

Il a raté son coup mais il reviendra, il les plantera tous les deux. En attendant, il se traîne comme un mort-vivant. « Salope. » Il le répète un peu plus fort à chaque pas et balance un coup dans une portière qui lui arrache un cri de douleur. Il regarde son pied meurtri comme s'il avait poussé dans la nuit et se cache le long d'une palissade pour pleurer.

— Les langoustines, c'est pour qui ?
— C'est pour moi.

Le serveur pose la petite assiette dans la grande avec fracas. Virginie déplie sa serviette en lorgnant le plateau « Grand Large » commandé par le jeune couple à côté. Ils broient les pattes du tourteau et elle est à deux doigts de leur expliquer comment s'y prendre. Le plateau, c'est ce qu'ils prennent d'habitude, mais cette année, ils s'en passeront, à cause de la « connerie » de Vincent. Ce n'est pas parce que les parents de Virginie vont avancer l'argent qu'ils vont tout se permettre. Elle s'autorise tout de même une pointe de mayonnaise avec ses langoustines. Finalement, elle préfère les langoustines aux langoustes, ça lui rappelle les fêtes de Noël chez ses grands-parents.

Vincent rumine son échec. Il cherche toujours le moyen de se refaire, ça l'obsède au point qu'il a oublié de réserver la table au restaurant où ils ont l'habitude de dîner la veille du retour. Il rumine. S'il avait fait quelques recherches avant de s'embarquer, il aurait vu que c'était une arnaque, mais Jeanne l'a ferré en douceur. Il a vraiment cru qu'il allait changer de vie et pas seulement de voiture, que l'argent ne serait plus un problème, qu'il n'aurait plus ce nœud au ventre chaque fois que Virginie commence une phrase par : « Ce serait bien si… »

Il faut trouver une solution sinon qu'est-ce qui l'attend ? Une vie plombée par l'angoisse du chômage ? Il sait comment ça marche, quand on perd son boulot, on finit par perdre sa femme. Vous ne vous aimez plus, on vous a retiré le sens de votre vie comme on vide les poches d'un détenu qui va entrer en cellule. Les femmes le sentent, et cette odeur les fait fuir.

Vidant son verre de sauvignon, il dit :

— Il était pas mal ce poisson. Bien cuit.

Virginie acquiesce. Les filles avalent leurs nuggets en faisant leur coloriage. Le repas n'est pas drôle du tout. Leur père ne fait pas les plaisanteries qui font rire leur mère.

Vincent se penche en avant et murmure :

— Tu vas me faire la gueule encore longtemps ?

Virginie lâche ses couverts.

— Tu as pris ton Maalox ?

— Non.

Elle sort un sachet de son sac et se tourne vers Léa.

— Ne mange pas tes frites avec les doigts.

— Pourquoi ? À la maison, je le fais.

— On n'est pas à la maison, alors tu prends ta fourchette.

Vincent se ressert généreusement et passe en coup de vent au-dessus du verre de sa femme.

— Toujours pas ?

Sans attendre la réponse, il plonge la bouteille entre les glaçons à moitié fondus.

Virginie retient un commentaire et dit en prenant la carafe d'eau :

— Tu as parlé avec le voisin ?

— Non, c'est pas nos affaires.

— Peut-être, mais leur fils ne va pas bien. Il est gentil ce gamin mais tu ne m'enlèveras pas de la tête qu'il y a un problème.

Elle plie sa serviette en quatre et lance :

— T'as vu ? C'est Arnaud qui fait la cuisine.

— Moi aussi, je fais la cuisine.

— Tu faisais la cuisine, nuance. Ça fait combien de temps que tu n'as pas fait un axoa ?

— OK, d'accord, pas de problème, dimanche, j'en fais un.

— Non, dimanche on est chez mes parents et ralentis, la bouteille est presque vide, tu ne viendras pas te plaindre demain que tu as des brûlures.

Le serveur apporte la carte. Virginie attend qu'il s'éloigne pour faire la remarque :

— Tu as vu ? Ils présentent toujours la page des desserts qui ne sont pas compris dans le menu.

Vincent laisse dire. L'alcool lui a rempli l'estomac, il n'a plus très faim mais commande malgré tout une tarte Tatin. Virginie ne prend pas de dessert. Elle ne prend jamais de dessert.

À la nuit tombée, les esprits s'échauffent autour d'eux. Une jeune grand-mère aux joues cramoisies s'émeut du prix des tours de manège, « Exorbitant », s'écrie-t-elle. Deux fois. Virginie ouvre les mains en direction de son mari.

— Tu vois ? Il n'y a pas que moi qui le dis.

Les filles se précipitent sur les boules de glace qui arrivent et Vincent attaque méthodiquement les montagnes de Chantilly qui encerclent la tarte. Virginie détourne le regard et se penche vers Chloé.

— Il est très beau ton coloriage, ma chérie.

— Et le mien ? s'exclame Léa.

— Le tien aussi, il est très réussi.

Vincent pose sa petite cuillère et se tient le ventre :

— J'en peux plus. Tu veux finir ?

Virginie se crispe :

— Non merci.

— T'es sûre ? Regarde, je mange ça et je te laisse ça.

Satisfait, il fait glisser l'assiette sur la nappe. Virginie soupire entre chaque bouchée avec une volupté qui fait plaisir à voir. Un spectacle dont Vincent ne se lasse pas. Faire l'amour avec elle, c'est un festin, il n'aime rien tant que la dévorer. Il l'implore trois, quatre voire cinq jours, mais quand elle cède, il est le plus heureux des hommes. Les mains sous la table, il compte sur ses doigts. Cinq jours. Virginie demande :

— Pourquoi tu souris ?

Coupez la tête d'un cigare, allumez-le et c'est toute la littérature qui part en fumée, les vers de Shakespeare, la prose de Dumas et de tous ceux qui ont accompagné le travail des ouvriers des fabriques cubaines.

Un œil sur la boîte en loupe d'orme, l'autre sur la retransmission d'un tournoi de golf, Simon fait passer deux ou trois robustos sous son nez.

Il regarde en direction de la piscine. Sa femme bricole le parasol et sa fille plonge exactement comme il lui a appris. L'aînée n'aimait pas la natation mais avec la petite il s'est rattrapé. Marion, c'est tout son portrait. Rien ne lui a fait plus plaisir que le jour où l'institutrice les a convoqués pour leur demander s'il fallait l'attacher à sa chaise pour qu'elle reste assise. Simon a souri et l'institutrice n'a pas aimé.

Sur l'écran, la balle vient mourir à deux centimètres du trou. Il explose et son téléphone glisse sur le canapé. Huit appels en absence et toujours le même numéro.

Il part s'isoler dans la cuisine et appelle Claire.

— C'est Simon. Qu'est-ce qui se passe ? Tu m'as appelé dix fois… Huit, d'accord.

Fermant la fenêtre de la chambre, elle répond :

— J'étais bien obligée, je suis sans nouvelles depuis hier.

— Ma femme et ma fille sont rentrées de Boston.

— Tu ne pouvais pas me le dire ?

Il jette un œil dans le couloir et baisse la voix :

— Je ne savais pas, elles ont avancé leur vol, une histoire d'anniversaire, je sais pas quoi. Écoute, tu savais que j'étais marié, je ne t'ai rien caché, alors ce n'est pas de ma faute si tu t'es fait des films.

— Des films ? Tu veux que je dise à ta femme le genre de film que tu fais pendant qu'elle est en voyage ?

Simon ouvre le réfrigérateur et poursuit calmement :

— Mais non, c'est pas ce que je voulais dire, ne t'énerve pas.

Claire s'assied sur le lit et scrute son reflet dans le miroir.

— Elle le sait que tu as des maîtresses ?

— Écoute, elle a deux filles, une belle maison, elle s'achète tout ce qu'elle veut quand elle veut, pour le reste je suis discret et franchement, je suis désolé que tu le prennes comme ça. C'est mieux si on ne s'appelle plus. D'accord ? Prends soin de toi. Je t'embrasse.

Trois bips se succèdent. Il a raccroché. Claire laisse tomber le téléphone sur le drap et enfouit son visage dans l'oreiller. Son corps s'engourdit comme pour lui donner un avant-goût de la mort.

C'est un malentendu. Simon ne lui a pas laissé le temps de s'expliquer. Elle refait le numéro, elle dit qu'elle ne l'embêtera plus, qu'elle fera tout ce qu'il veut mais qu'il ne peut pas la quitter comme ça, en deux minutes, pas après ce qu'ils ont vécu. La boîte vocale enregistre. Elle frotte l'écran de son téléphone, barbouillé de larmes et de maquillage, le pose sur ses genoux et attend. Il va trouver le moyen de la rappeler, c'est juste une question de temps.

Sa prière a été entendue. La sonnerie retentit mais c'est le numéro de sa mère qui s'affiche. Elle ne veut pas lui parler. Elle va sentir qu'il se passe quelque chose et va lui faire la morale pendant une demi-heure.

Claire renifle et cherche des mouchoirs dans la table de chevet. Il n'y en a pas dans la sienne, alors elle cherche dans celle d'Arnaud. Dans le tiroir, à côté du tube d'arnica acheté pour soigner le pied qu'il s'est cogné dans un poteau, il y a des mouchoirs, derrière les mouchoirs, il y a le coffret, et dans le coffret, il y a l'émeraude.

Virginie et Vincent s'activent, ils font des allers-retours depuis dix minutes entre la voiture et l'appartement. Ils ont choisi de partir tôt pour éviter les bouchons. La femme chargée de récupérer les clés leur a donné quelques conseils mais, « au mois d'août, il y a du monde, y a pas de miracle ».

— Ça y est, c'est le grand jour !

Arnaud vient les saluer sur la terrasse. Vincent s'étonne :

— Vous ne partez pas ?

— On va rester une nuit de plus, mais, chut, c'est une surprise, je ne l'ai pas dit à ma femme.

Virginie fait une dernière inspection et frappe dans ses mains :

— Bon, les filles, vous dites au revoir et on y va.

Erwan embrasse Léa sur les joues en rosissant et espère bien la retrouver l'année prochaine. Son père passe une tête dans le salon.

— Claire ? Tu viens ? Les voisins s'en vont.

Les os gelés malgré la chaleur déjà bien installée, elle les rejoint et sourit. Par chance, les Bourdon sont pressés, les adieux ne s'éternisent pas. Elle retourne à l'intérieur et s'assure qu'ils sont partis avant d'annoncer qu'elle va acheter des croissants. Arnaud est ravi de l'initiative. Erwan veut venir aussi mais elle l'envoie rassembler ses affaires à côté de la valise.

Son sac sur l'épaule, elle court comme une droguée vers sa dose. La descente est insupportable. Elle roule jusque chez Simon. Il faut qu'ils s'expliquent, elle veut l'entendre dire : « Je te quitte », tant qu'elle ne l'aura pas entendu elle ne le croira pas.

Dans l'impasse du Ponant, elle ralentit et se gare à bonne distance du portail. Elle marche le long des villas endormies et ses jambes se dérobent quand elle aperçoit les volets fermés chez Simon. Elle tangue, s'accroche à une clôture. Trop tard. Elle tombe. Malaise vagal. Elle connaît, il suffit d'attendre dix minutes et de bouger le moins possible.

Quand elle a assez de force pour se remettre sur pied, elle monte dans la voiture. Son cœur frappe comme un boxeur dans sa poitrine. Elle pleure en silence. En se voyant dans le rétroviseur, elle se dit qu'elle ne va jamais pouvoir aller chez le boulanger avec cette tête.

Elle respire profondément, tamponne ses yeux avec un mouchoir, attache sa ceinture et manœuvre dans la rue étroite. Au stop, elle serre le volant comme pour l'étouffer et hurle derrière le pare-brise ces mots que personne n'entend : « Il m'a abandonnée ! Il m'a abandonnée ! »

— Après, le vendeur a dit : « Voyons les options. » Il a fouillé dans ses papiers et il a expliqué en montrant une photo : « Ce que vous voyez là, en tout petit, c'est le détecteur pour l'enroulement automatique du store en cas de vent violent. Je sais, vous allez me dire, le vent, par chez nous… mais rappelez-vous la tempête de 1999. » On s'est regardés avec ta mère et on s'est rappelé les tuiles arrachées, les arbres en travers de la route, alors on s'est dit : « Le détecteur, on le prend. »

Christiane renchérit :

— Et moi, quand j'ai vu le prix que ça faisait avec la rampe de chauffage, j'ai dit à Jean-Pierre : « Peut-être qu'on devrait faire une véranda ? »

Virginie écoute ses parents tout en surveillant les filles qui jouent avec la télécommande du store. Elle les met en garde :

— Chloé, premier avertissement.

Avachi sur sa chaise, Vincent souffle la fumée sur les franges vert céladon qui pendent au-dessus de sa tête. Il baille, la veille il leur a fallu douze heures pour rentrer à Seichamps, il préférerait aller se coucher.

Virginie s'écrie :

— Chloé et Léa, vous allez jouer dans le jardin avec Hercule et vous laissez les grands parler.

Et de quoi parlent-ils maintenant ? De l'excellent repas servi par la maîtresse de maison, de la machine à café à capsules encore en panne, de l'augmentation du prix des cigarettes. Vincent a repris son rythme de croisière et ce ne sont pas les crânes d'œuf d'en haut qui vont le dissuader. Ceux-là, il ne peut plus les voir depuis qu'il a voté non au référendum de 2005, qu'ils l'ont pris pour un con en exhumant deux ans plus tard le même projet rebaptisé « Traité de Lisbonne », aujourd'hui, il se venge en exerçant le seul pouvoir qui lui reste : virer le gouvernement en place tous les cinq ans. Il n'a aucune estime pour les professionnels de la politique qui voient la France de la périphérie et des campagnes comme une réserve d'Indiens. Au moins, là-dessus, ils sont d'accord avec Jean-Pierre, il va se passer quelque chose aux prochaines élections. Tout le monde le dit.

À y regarder de près, Jean-Pierre n'est pas à plaindre, mais il ne se sent plus en sécurité. S'il a remplacé sa vieille pancarte « Chien méchant » par une caméra de surveillance, ce n'est pas par plaisir, mais parce que la société est, pour lui, un fruit pourri, rongé par les parasites. Le mal tient en deux phrases : « les jeunes ne veulent plus travailler » et « on n'est plus chez nous ».

Fatiguée d'entendre toujours le même discours, Christiane embraye avec le Lotus d'or, un nouveau restaurant avec un buffet à volonté pour 17,90 euros. Là encore, Jean-Pierre bougonne :

— Je préfère le Dragon céleste au Lotus d'or, il y a plus de choix.

Elle dit en empilant les assiettes sales :

— Qu'est-ce que ça peut te faire, tu prends toujours la même chose ?

Cherchant un soutien auprès de son gendre, il lâche :

— On ne peut pas discuter avec les femmes.

Vincent hoche la tête comme un ressort distendu. Virginie et sa mère débarrassent la table et son beau-père lui tape dans le dos.

— T'inquiète pas, vous rembourserez les six mille euros quand vous pourrez, c'est rien, on a les moyens. Tiens, goûte-moi ça plutôt.

Jean-Pierre est chargé de sélectionner le vin pour le quarante-sixième repas de l'amitié organisé par l'association des retraités d'Houdemont. Il hésite entre trois bouteilles et commence par le chinon. C'est moyen. Il va chercher des verres dans le buffet du salon et enchaîne avec le morgon. Il préfère. Et pour terminer, un canon-fronsac.

Il conclut : « Le canon-fronsac est bien aussi, mais le morgon est mieux et pas cher en plus. Encore que le prix, ce n'est pas le problème. »

Jean-Pierre fait ici allusion au magot caché au fond de son garage. Frappé par l'œnologie comme par la foudre, il est rentré un soir de la Foire aux vins avec quatre caisses de grands crus dans le coffre de la voiture, rien à moins de cent euros le col. Le lendemain, il est retourné au magasin acheter la cave de vieillissement avec filtre à charbon.

Christiane fait un dernier passage pour s'assurer que tout est débarrassé et râle contre son mari :

— Tu ne pouvais pas garder le même verre ?

— On a un lave-vaisselle, que je sache ?

— Oui, mais ceux-là, ils n'y vont pas, ça les raye.

Gantée jusqu'aux coudes, elle retrouve Virginie dans la cuisine et reprend la conversation exactement là où elle l'avait laissée :

— Vous allez prendre laquelle, finalement ?

— Le Tiguan. S'il veut le X1, il n'a qu'à se le payer.

— C'est quand même dingue qu'il ne t'en ait pas parlé, c'est bien les hommes, ça, ils se croient toujours plus malins. Laisse sécher. Je ferai les verres demain. Dis-moi, t'as pas un peu maigri ?

Virginie suspend le torchon à un crochet et soupire :

— Non. Je me suis pesée en rentrant, j'ai pas perdu un gramme.

— Tu n'oublies pas ton chèque.

— Non, je ne l'oublie pas.

Virginie la remercie encore et file vers la terrasse. Elle embrasse son père et s'écrie :

— Les filles, vous ramassez vos affaires, on s'en va.

— Déjà ? s'exclame Jean-Pierre.

— Je commence à huit heures demain. Allez !

Chloé et Léa se battent pour porter Hercule jusqu'à la voiture. Vincent tend les clés à sa femme et Christiane arrive en courant. On s'embrasse, on parle fort et le chien saute sur la banquette arrière.

Virginie démarre, elle avance, vitres baissées. On n'en finit pas de se dire au revoir parce que Jean-Pierre n'arrive pas à mettre la main sur la télécommande du portail.

Depuis le balcon, il demande à sa femme :

— Elle est où ?

— Là où tu l'as laissée.

Cinq minutes plus tard, il réapparaît et tend un bras impérial vers l'œuf scellé sur le poteau.

Virginie fait un dernier signe de la main avant de s'engager sur la départementale et de parcourir les cinq kilomètres qui la séparent de chez elle.

Vincent tire sur sa ceinture qui lui comprime le ventre.

— J'ai trop mangé. Ta mère en fait toujours trop.

— Tu n'avais qu'à pas te resservir. Prends du Maalox dans mon sac.

— C'est n'importe quoi ce store. Et le chauffage, quelle blague !

— Ils t'ont expliqué, ma mère ne pouvait plus tourner la manivelle de l'ancien à cause de sa tendinite.

— Elle a bon dos la tendinite.

— C'est vrai, elle l'a attrapée en dansant le sirtaki en Grèce.

— C'est quoi le sirtaki, papa ? demande Léa.

— Ta mère va te faire une démonstration.

Virginie met son clignotant en marmonnant :

— Très drôle.

— Oh, Ninie, on peut rigoler.

Il est tard, il n'y a personne dans les allées du lotissement Les Lucioles. Elle laisse la voiture dehors. Vincent jette l'emballage de Maalox dans le cendrier. Il sait qu'il n'y a pas de remède contre son mal. En acceptant le chèque de ses beaux-parents, il s'est condamné à faire deux fois plus d'heures supplémentaires pour les rembourser.

— Tu viens ?

Virginie sort ses clés et pousse les filles à l'intérieur.

— J'arrive.

Il allume l'autoradio dans l'attente d'un résultat. Avant le flash, un auteur fait la promotion de son livre, selon lui, « nous vivons dans une dictature soft où les tyrans portent des costumes trois pièces, brassent des millions et maintiennent une pression sur les revenus qui contraint les salariés à recourir au crédit donc à s'enchaîner à long terme. Si on ajoute à ça l'armée de réserve des chômeurs, très utile pour leur rappeler chaque matin qu'ils sont privilégiés, on atteint un niveau de stress maximal ». Le journaliste relance : « D'accord, mais qu'est-ce que vous proposez à la place ? » L'auteur : « Revenir à l'essentiel. Ça ne veut pas dire aller vivre dans les bois, non, simplement trouver des satisfactions en soi. Tous les gens ont des dons, des talents, quand ils les exploitent, ils sont en phase avec eux-mêmes, ils n'ont plus besoin d'acheter toute cette camelote pour démontrer leur valeur. »

Vincent tient le chèque entre ses mains et admire la belle écriture de Christiane. Il voudrait le déchirer, le répandre en une pluie de petits papiers blancs dans l'allée.

Virginie le fait sursauter. Elle crie sur le seuil de la porte :

— Tu n'oublieras pas d'éteindre la lumière de dehors.

— Non, je n'oublierai pas d'éteindre la lumière de dehors.

Frottant machinalement ses chaussons sur le paillasson avant de rentrer, elle lance :

— Ce serait bien si on installait un éclairage automatique.

Cette nuit comme les précédentes, Claire a vu défiler les heures sur son réveil de voyage. Debout devant la glace, elle a trouvé ses muscles fondus, ses pupilles dilatées. Après une tasse de café noir, elle s'est enfoncée dans la mer jusqu'aux épaules, sans trouver la force de nager, restant au bord avec les enfants et les vieilles dames en bonnet à fleurs.

Aucun signe, aucun message de Simon. Le sevrage est terrible et il n'existe pas de traitement de substitution. Dans les rares moments de lucidité, elle s'imagine le gifler en pleine face ou l'insulter, mais ça ne dure jamais.

Traînant les pieds entre les allées de matelas et de parasols mis à la disposition des clients de l'hôtel, elle remarque les nouveaux arrivants à leur teint gris et leur air désorienté. Dans moins d'une heure, elle aura fait ses bagages et rentrera à Solaize. Passer une nuit dans cet établissement prestigieux, c'est une idée d'Arnaud, une surprise. Il est rassuré. Elle ne parle plus de divorce, pour lui, cette histoire n'aura été qu'une vague qui se retire pour mieux revenir.

Il relève ses lunettes de soleil et demande :

— Elle est bonne ?

— Oui, tu devrais y aller.

Il n'est pas très porté sur la natation, ni sur le sport en général. Au collège, sa maigre constitution était un sujet de moquerie, la situation s'améliorant au lycée quand il a commencé à échanger avec les brutes ses compétences en mathématiques contre un silence respectueux au cours de gymnastique.

Depuis son transat, il regarde son fils jouer au ballon avec un jeune Anglais de son âge. Le football étant affaire de rapidité et d'évitement, l'obstacle de la langue a été aisément contourné. Au petit déjeuner, Erwan a été surpris de découvrir que son nouveau copain avait une sœur à peine plus âgée que lui. À dix heures, elle mangeait des œufs et une sorte de jambon frit, le gras brillait sur ses lèvres, c'était dégoûtant. Sa mère lui a expliqué que les Anglais n'avaient pas les mêmes habitudes que nous, que chaque pays avait les siennes et que c'était très bien comme ça.

Allongée sur le ventre, Claire fait des efforts désespérés pour échapper au tsunami, consciente au fond d'elle-même qu'elle n'a aucune envie de reconstruire. Isolée dans sa bulle, elle voyage dans le temps. Elle a neuf ans et s'amuse avec ses cousins dans le jardinet qui entoure le pavillon de sa grand-mère. Le jeu consiste à deviner, les yeux bandés, l'identité de celui ou celle qui se laisse attraper. Elle touche, palpe, caresse, et ne trouve pas. C'est la même chose avec Arnaud, il est comme un étranger qu'elle ne peut aimer tout à fait.

Les gouttes d'huile de bronzage qui tombent sur son dos la font tressaillir. Arnaud dessine des cercles autour de ses omoplates. Erwan débarque le front en sueur et demande en lançant son ballon en l'air :

— Je peux aller jouer au bord ?

Elle répond d'une voix assourdie par le matelas.

— Oui, mais tu ne vas pas trop loin.

Le menton calé sur ses mains, elle pense à Simon qui ne voulait pas lui mettre de crème solaire sous prétexte que ça collait dans les draps.

— Tu en veux sur les jambes ? demande Arnaud.

— Non, ça va, je vais bientôt remonter.

Elle dit en s'appuyant sur ses coudes :

— J'essaierais bien le golf à la rentrée.

— Le golf ? Le seul qui joue chez nous, c'est un con fini, un type des ressources humaines.

— Ça ne veut pas dire qu'ils sont tous cons.

— Tu ne veux pas continuer l'Aquabike ?

— Tu sais bien que je change tous les ans, mais bon, c'est juste une idée.

— Comme tu veux. Essaie, tu verras bien si ça te plaît.

Arnaud saute de son fauteuil comme si un scorpion l'avait piqué et dit :

— Je vais chercher Erwan, il faut rendre la chambre avant midi.

— Tu veux que je t'aide pour les bagages ?

— Non, reste, je m'en occupe.

Arnaud enroule sa serviette autour de sa bouteille isotherme. Claire l'observe. Il revient avec Erwan, leur ressemblance est frappante, les mêmes épaules tombantes, les mêmes jambes longues et fines, comme si le créateur avait oublié de dessiner les cuisses.

Une famille s'installe à côté d'elle avec ses piles de journaux et sa joie envahissante. Ils sont heureux, ils forment un clan soudé et il faut que ça se sache.

— Vous désirez quelque chose ? Une boisson fraîche, un café ?

Le garçon de plage s'adresse à Claire en lorgnant vers les nouveaux arrivants.

— Non, merci, je m'en vais.

Elle referme son sac de plage et marche vers le hall de l'hôtel. À l'entrée du couloir moquetté, elle aperçoit Arnaud, encombré des palmes qu'il n'a pas voulu laisser la veille dans le coffre.

— Tu n'appelles pas le bagagiste ?

— Non. Je n'ai pas besoin d'un larbin.

Irritée, elle répond :

— Ce n'est pas un larbin, c'est son métier.

— Peut-être, mais je préfère porter mes affaires moi-même.

Elle n'insiste pas et prend l'escalier. Elle entre dans la chambre et se précipite sous la douche. L'eau fait des ricochets sur son visage et elle reste une éternité dans cette position sans pouvoir bouger. Son corps est plombé, ce n'est plus le vaisseau léger qui la transportait avec aisance partout où il lui plaisait d'aller.

Exténuée, elle sort de la cabine et se plante devant le miroir embué. À treize ans, elle aurait dessiné un S majuscule dans un cœur traversé d'une flèche, ce matin elle frotte la vitre comme une ménagère.

Ses vêtements sont posés au bord du lit et les draps sont remontés pour être sûr que rien n'a été oublié dans les plis. L'émeraude scintille sur la table de chevet, le rideau s'anime le long de la fenêtre et le déclic de la poignée se fait entendre. Arnaud pousse la porte. Ils sont face à face. Sa serviette glisse sur ses hanches, il détourne les yeux et inspecte la pièce en demandant :

— C'est bon ? Il n'y a plus rien ?

— Non, il n'y a plus rien.

— Le sèche-linge est en panne.

— Comment ça ?

— Il s'allume mais ça ne démarre pas. Viens voir.

— Je viens de passer la tondeuse, ça ne peut pas attendre ?

Vincent avale une gorgée de bière et reprend sa position allongée sur le canapé. Virginie revient à la charge :

— Regarde, si ça se trouve, c'est pas grand-chose.

— Et alors ? J'y connais rien.

— Je fais comment, moi, avec ma lessive ?

— Tu l'étends sur le fil.

— Quel fil ? On l'a enlevé quand on a acheté le sèche-linge.

Il pousse un long soupir et part jeter sa canette dans la cuisine.

— Bon, je vais voir. Vérifie si la garantie marche encore.

Virginie se presse vers la chambre d'amis où sont archivées dans des chemises cartonnées les factures et les notices de tous les appareils ménagers. Elle retourne le dossier sens dessus dessous et s'arrime à la chaise en découvrant la date. « C'est pas vrai ! »

s'écrie-t-elle. Son ventre se tord comme une corde à nœud. Il fallait que ça tombe maintenant.

Vincent la rejoint et déclare, les mains enfoncées dans les poches de son short.

— Je ne sais pas ce qu'il a, ça doit être un problème d'électronique.

— Tu ne peux rien faire ?

C'est toujours avec stupeur et déception que Virginie découvre que son mari ne peut pas tout. Pour elle, « électronique » et « informatique » font partie d'un même continent où l'homme moderne est censé savoir se repérer.

— Et la garantie ?

— Finie depuis cinq mois.

Vincent bâille ostensiblement et conclut :

— Je vais remettre le fil et on va faire réparer.

— Tu plaisantes, j'espère ? Sans attendre la réponse, elle enchaîne : « Tu ne crois quand même pas que je vais retourner à l'Antiquité et étendre le linge dans le garage. »

— C'est bien ce que tu faisais avant ?

— Peut-être mais avec le sèche-linge, j'ai deux fois moins de repassage et si ça se trouve le faire réparer reviendra aussi cher que de le changer. Regarde le micro-ondes de ta mère, ils l'ont gardé un mois et demi et au final ça leur a coûté le prix d'un neuf.

Alerté par les éclats de voix, Hercule arrive, précédé du cliquetis de ses griffes sur le carrelage. Vincent le laisse passer et s'emporte :

— On va le payer comment, ton sèche-linge ?

— Ne crie pas devant le chien, il a horreur de ça. On n'a qu'à faire un crédit.

— T'as vu ce que le banquier a dit pour la voiture, on est au maximum du maximum.

— Mais là c'est pas pareil, c'est un tout petit, 279 euros.

— T'as déjà regardé ?

Virginie prend Hercule dans ses bras et répond en se cachant derrière sa truffe.

— Non.

Elle repose le chien, sort un bulletin de salaire, une facture EDF, un relevé d'identité bancaire et va les ranger dans son sac à main. Dehors, le ciel se couvre. Heureusement Vincent a tondu avant l'arrivée de la pluie. Saisissant les clés, elle dit :

— On y va ?

— Ou ça ?

— À Houdemont.

— Maintenant ?

— Oui, maintenant. J'ai du linge qui moisit dans la machine.

— Et les filles ? Elles sont chez Sidonie ?

— Ah, oui, c'est vrai. Bon, j'y vais toute seule et toi tu iras les chercher.

Avant de claquer la porte d'entrée, elle se retourne une dernière fois et rappelle :

— Tu n'oublies pas, hein ? Cinq heures.

Dans la voiture elle roule à vive allure jusqu'au centre commercial non loin de chez ses parents. Trouver une place sur le parking un samedi après-midi relève de l'exploit. Elle patiente derrière un homme qui met un temps infini à caler un ordinateur dans son coffre.

Quand il est enfin parti, elle s'avance brusquement et heurte le muret qui entoure un arbre planté là pour son malheur. Le pare-chocs est un peu abîmé mais ça ne fait rien, elle ne peut plus la voir en peinture, cette 307. Dans une semaine, elle achètera le Tiguan et une nouvelle vie commencera.

À l'intérieur du magasin, les allées sont pleines d'enfants qui courent comme dans un jardin. Elle va vers le gros électroménager sans avoir besoin de lire les pancartes suspendues au-dessus de sa tête. Le modèle qu'elle a vu sur Internet avant de s'entretenir avec Vincent est bien là.

Le plus difficile maintenant c'est de trouver un vendeur. Elle en repère un qui est occupé et ne le lâche pas d'une semelle. Deux personnes attendent avant elle, l'homme clame haut et fort son mécontentement et la femme lui donne des coups de coude pour le faire taire. Quand vient leur tour, Virginie les suit jusqu'au rayon des aspirateurs en respectant une distance subtilement établie. Trop près, elle aurait l'air de les presser, trop loin, quelqu'un pourrait s'interposer entre eux et se faire servir avant elle.

Elle suit la vente d'une oreille et remarque l'anxiété grandissante des clients. Le mari se gratte la tête, il pensait plier l'affaire en cinq minutes et maudit le vendeur de les avoir mis dans ce pétrin. Est-ce que l'aspirateur sans sac est plus économique que l'aspirateur avec sac, parce que, vu la différence de prix au départ, s'il claque au bout de trois ans, ça n'est pas intéressant ? Virginie aurait des choses à dire, elle en connaît un rayon sur l'obsolescence programmée, mais s'abstient d'intervenir.

Après quelques minutes, la femme regarde une dernière fois son mari et désigne une étiquette d'une voix mal assurée. À peine leur bon est-il sorti de l'imprimante que Virginie fait un pas en avant et dit :

— Bonjour, je voudrais voir un sèche-linge.

Le vendeur lui emboîte le pas et demande en remontant ses manches jusqu'au coude :

— À évacuation ou à condensation ?

Elle écarquille les yeux.

— Je ne sais pas. En fait, le mien vient de lâcher et…

Il bifurque dans une allée et pose sa main sur le capot blanc d'une machine. Sa supériorité technique étant reconnue, il adapte son langage.

— Il a un tuyau derrière, le vôtre, ou pas ?

— Je ne crois pas, non.

Elle est sur le point d'appeler Vincent et reprend ses esprits.

— Non, il n'y a pas de tuyau puisqu'il est collé au mur.

— Alors c'est à condensation. Je vais vous les montrer.

Virginie l'attire vers le modèle à 279 euros qui l'intéresse :

— J'ai vu celui-là sur le site.

— Celui-là, c'est à évacuation. Les condensations, c'est plus loin.

Plus loin et plus cher. Le vendeur passe en revue

les avantages et les performances de chacun. Virginie le laisse parler, mais elle a déjà fait son choix, elle prendra le premier prix. Pour le paiement en dix fois, pas de problème, elle a tous les papiers nécessairs et les étale sur un petit bureau encombré. Le sèche-linge est en stock, il y a une semaine d'attente pour la livraison, mais si elle le veut vraiment tout de suite, on peut le mettre dans son break. Cet après-midi, c'est un peu chargé, mais elle peut faire un tour dans le magasin en attendant.

Elle regarde sa montre. Cinq heures. Pourvu que Vincent ait pensé à aller chercher les filles. Virginie lui envoie un message pour se rassurer. Marchant au hasard, le nez sur son écran, elle bute devant un mur de téléviseurs. La plupart sont réglés sur une chaîne cryptée qui diffuse des films d'action mais trois d'entre eux diffusent les programmes de TF1.

— Tiens, v'là Marine.

Une femme aux cheveux prune a laissé échapper la phrase en passant, comme si une amie de la famille passait à la télé. Les lèvres de Marine sont muettes, ses doigts se croisent et se décroisent, ses épaules avancent pour projeter la parole au plus près de l'interlocuteur. Pas besoin de mettre le son, Virginie connaît les mots, des mots que tout le monde comprend, qui n'ont rien à voir avec ceux des hommes qui lui expliquent depuis quinze ans que, grâce à eux, demain tout ira mieux. Le résultat ? Quarante ans de chômage de masse et de reniements en cascade.

Virginie a voté à gauche, à droite, rien n'a changé, les poches des actionnaires ont continué à gonfler quand celles des salariés se sont vidées. Beaucoup de ses collègues à la préfecture ont sauté le pas, elle a longtemps hésité, mais cette fois, dans le secret de l'isoloir, elle votera pour elle. Marine, c'est sa dernière chance de retrouver le paradis des Trente Glorieuses, ses emplois pour tous et son ascenseur social en état de marche. Elle ne veut pas imaginer que celle qui s'autoproclame Mère du peuple puisse la trahir, qu'une fois au pouvoir elle se couche devant les puissances financières et enterre ses promesses comme les autres.

Mais quand ce jour viendra, que feront Virginie et ceux qui auront confié leur destin à un sauveur aux mains nues ?

Comment tout cela avait-il pu arriver ? se demandait Clara. Comment avait-elle pu perdre tout ce qui lui était cher, cet homme qu'elle avait aimé au premier regard, cet enfant qu'elle avait porté en elle pendant neuf mois, le fruit de sa chair et de son amour pour Anthony. Elle avait connu un bonheur immense. Pourquoi tout s'était-il écroulé d'un coup ? Une seule personne était responsable de cette tragédie, Sarah, c'est elle qui lui avait volé son mari et son fils.

— Claire, tu viens manger ?

Elle corne la page de son livre et le replace dans le tiroir. Deux fois déjà, elle a refusé d'accompagner Élodie et Delphine à déjeuner. Pour ne pas attiser leur curiosité, elle accepte, même si elle préférerait rester dans son bureau à grignoter des raisins secs.

Sur le seuil de l'agence, accablées par la chaleur, elles sortent leurs lunettes de soleil et empruntent l'allée des Droits-de-l'Homme jusqu'au restaurant d'entreprise où elles ont leurs habitudes (sauf le vendredi, jour de substitut de repas). Après avoir salué les visages familiers en chemin, Élodie pousse la porte du bâtiment pareil à mille autres avec ses vitres teintées et ses deux étages. Dans la file d'attente, les trois collègues sont plongées dans une atmosphère bruyante qui leur rappelle la cantine scolaire. C'est l'heure de la détente pour la centaine d'employés qui se retrouvent dans cette immense salle carrelée où les tables sont agencées de façon à produire un maximum de rentabilité.

L'ardoise accrochée au-dessus des plateaux est visible de loin : « Aujourd'hui, Le Villiérain vous propose en plat du jour : Salade de tomates mozzarella, lasagnes et fraises au sucre. » La Chantilly est en supplément : un euro cinquante.

Devant le comptoir des desserts, Élodie ferme les yeux et Delphine se laisse tenter par les fraises, « mais pas la Chantilly, faut pas exagérer, quand même ». Claire se satisfait d'une entrée.

— Tu ne prends que ça ? s'exclame Élodie. Tu ne veux pas qu'on partage des lasagnes ?

Elle accepte, un peu forcée. Depuis deux semaines, se nourrir est un problème. Tout le monde la trouve amaigrie, Arnaud se creuse les méninges pour lui préparer des recettes « légères » qu'elle goûte sans rien sentir d'autre que des relents de culpabilité.

Élodie a choisi une table près de la fenêtre et l'interroge :

— Tu t'es inscrite à l'Aquabike ?

— Non, cette année, je fais « aqua body » le lundi, « aqua building » le mercredi et « total body conditioning » le vendredi.

— Et tu as le temps ?

— Je m'organise.

Delphine souffle sur sa fourchette en disant :

— C'est vrai que tu as un mari qui fait la cuisine, c'est pas donné à tout le monde.

Élodie ajoute, rêveuse :

— Tu te rends compte de la chance que tu as ? Moi, le mien, il ne sait même pas faire marcher le micro-ondes.

Claire fait crisser la lame de son couteau sur le fond de l'assiette. Toujours et encore ce couplet de l'homme parfait qui donne le bain et sait faire cuire des pâtes.

Delphine sent que quelque chose ne va pas et change de sujet.

— Erwan, ça va ?

— Oui, il est content, on lui a acheté un chien.

— Quoi comme chien ?

— Un bouledogue français.

Élodie s'exclame :

— Oh, j'adore ! C'est trop mignon.

Elle en profite pour relancer le sujet des vacances après avoir rappelé une enième fois à quel point les siennes ont été merveilleuses, les enfants formidables et la location, une affaire !

— Et toi, Claire, tu n'as pas dit grand-chose sur tes vacances.

Elle répond d'une voix à peine audible dans le brouhaha ambiant :

— C'était bien, il a fait beau.

— Vous avez fait des balades ? Des restos ? T'étais pas loin de Monaco, je crois ?

Claire fait déborder son verre en se servant, repose la carafe, saisie par un frisson pareil à celui qui l'a parcourue tout entière sur le yacht de Simon. Se tamponnant les lèvres avec la serviette en papier, elle dit d'une voix un peu enrouée :

— Oui, on y est allés, une journée.

Élodie saisit la balle au bond.

— Moi aussi, j'y suis allée. C'était super, on a visité le palais, il y avait du marbre partout, des pièces immenses, c'était hallucinant.

Delphine demande :

— Tu as vu le prince ?

— Non, on ne visite pas la partie où ils vivent mais j'imagine que ça doit être pas mal non plus. Elle a tiré le bon numéro, la princesse.

Claire cale devant son demi-plat de lasagnes. Elle sent venir la nausée et supporte de plus en plus mal l'odeur de crème et de fromage fondu. Discrètement, elle recule sa chaise.

— Je suis barbouillée, je crois que je vais retourner à l'agence.

Delphine s'inquiète :

— T'es toute pâle. Tu veux que je t'accompagne ?

Élodie lui prend la main.

— Ça va aller ? T'es sûre ? T'as vraiment pas l'air bien.

— C'est rien, c'est la chaleur. Finissez, on se voit pour le café.

Sans tarder, elle attrape son sac à main et court chercher de l'air. Fuyant les regards des fumeurs relégués sur le trottoir, elle va se réfugier sous un arbre.

La nausée s'installe mais elle a appris à faire avec,

ça lui arrive souvent en ce moment. La semaine suivant son retour, elle n'a pas pu avaler autre chose que de l'eau et le lundi matin, quand elle a découvert le Post-it collé sur le frigo avec écrit « je t'aime » de la main d'Arnaud, elle a frôlé le malaise.

Un collègue marche dans sa direction, il ne l'a pas vue, elle attend qu'il passe et repart. Où qu'elle aille, Simon la suit comme une ombre, une ombre qui faiblit de jour en jour mais qu'un seul mot, un souvenir peuvent réanimer instantanément. Il n'y a que le sport et la lecture qui lui permettent d'y échapper.

Arrivée devant son bureau, elle sort du tiroir un paquet de raisins secs et son livre aussi épais qu'un annuaire. Elle reprend au début du chapitre.

— *Et si tu ouvrais les yeux ?*

— *Non, je ne peux pas. Je suis en plein milieu du plus beau rêve que puisse faire un homme.*

— *Raconte-le-moi.*

— *Je suis sur un bateau et, sans trop savoir pourquoi ni comment, j'ai réussi à convaincre la plus belle femme du monde, de l'univers, même, de se marier avec moi.*

— *Ce n'est pas un rêve, c'est notre rêve.*

Claire pivote sur son siège et regarde à travers la baie vitrée. L'image d'un prince éperdu d'amour danse devant ses yeux, deux bras forts la soulèvent pour l'emporter vers un ailleurs où tout n'est qu'harmonie et beauté. Éblouie, elle baisse le store et garde en elle l'espoir d'un nouveau renversement. Cette fois, elle ne reviendra pas à son point de départ pour faire ce que les scientifiques comme les professionnels du tourisme appellent une « excursion », non, cette fois, ce sera le grand, le vrai renversement.

Comme dans les livres.

Remerciements

Je voudrais remercier ceux qui chacun à leur manière ont contribué à la naissance de ce livre. Par ordre d'apparition : Pierre-Albert Castanet, Anne Dumas, Jaques G. Martin et Alix Penent.

Composition et mise en pages
Nord Compo à Villeneuve-d'Ascq

Cet ouvrage a été imprimé par
CPI Firmin Didot à Mesnil-sur-l'Estrée
pour le compte de France Loisirs
en août 2016

N° d'édition : 86271
N° d'impression : 136971
Dépôt légal : juin 2016
Imprimé en France